JUGAR: LA FORMA
MÁS DIVERTIDA
DE EDUCAR

Ediciones Palabra, S.A.
Madrid

Colección: Hacer Familia
Director de la colección: Jesús Urteaga
Coordinador de la colección: Fernando Corominas

© María Isabel Jiménez Domecq, 2004
© Ediciones Palabra, S.A., 2004
   Paseo de la Castellana, 210 - 28046 MADRID (España)

Diseño de portada: Francisco J. Pérez León
Fotografía de portada: Archivo Hacer Familia
I.S.B.N.: 84-8239-886-5
Depósito Legal: M. 47.384-2004
Impresión: Gráficas Anzos, S. L.
Printed in Spain - Impreso en España

María Isabel Jiménez Domecq

Jugar: la forma más divertida de educar

HACER
FAMILIA
educar en valores

A mi familia,
en agradecimiento
a su paciencia e incondicional apoyo.

Introducción

Este libro no pretende ser un tratado exhaustivo ni un ensayo sobre el juego, aunque no hemos perdido de vista todas las dimensiones del mismo, centrándonos en su valioso potencial educativo. Con ello, esperamos aportar una visión diferente y una conciencia clara de la importancia del juego en la labor docente, y sobre todo en la educación familiar. No obstante, cualquier planteamiento teórico sin su correspondiente vertiente práctica, acaba por quedar obsoleto y estéril.

No basta con describir ampliamente sus múltiples beneficios, por lo que hemos incluido un breve catálogo de juegos por edades, que esperamos resulte de gran utilidad para los padres que desean educar eficazmente, de una manera divertida y placentera.

Nuestra máxima aspiración es invitarles a disfrutar jugando mientras comparten lo mejor de sus vidas con los seres más importantes y que más nos necesitan.

PARTE PRIMERA "A"

EL JUEGO:
UNA VALIOSA HERRAMIENTA PARA EDUCAR

Características del juego

Razones para jugar: Importancia del juego y sus ventajas

El juego es una *constante antropológica*. Se ha llegado a decir que «No hay hombre sin juego, ni juego sin el hombre».

Indudablemente, se trata de una actividad natural del ser humano, en la que este toma parte por la sola razón de divertirse y sentir placer.

Se conocen juguetes que datan de los albores de la humanidad, la mayoría de ellos fabricados con materiales simples, como muñecas hechas de una simple piedra envuelta en un trozo de tejido.

Pocas culturas como la avanzada civilización egipcia, a la que identificamos por las impresionantes maravillas arquitectónicas que han llegado hasta nuestros días, fueron tan amantes de la vida, las diversiones y los placeres, y supieron disfrutar tan intensamente del tiempo libre, mediante el desarrollo de múltiples y variados pasatiempos lúdicos, a los que se entregaban con una buena porción de sus energías. El pueblo egipcio consideraba el juego y los juguetes como una parte sustancial de su existencia, a la que casi siempre aparecían asociados aspectos culturales y funerarios.

Resulta imposible encontrar una definición unívoca de los vocablos «juego» y «jugar» pese a haber sido objeto de estudio en muchas disciplinas y desde múltiples perspectivas. La palabra «juego» no es un concepto científico en sentido estricto y por ello, no hay una delimitación satisfactoria de las actividades denominadas como tales, ni una explicación de las diferentes formas de juego. De entre sus muchas acepciones, la palabra «juego» se emplea con el significado de **entretenimiento o diversión**: «Ejercicio recreativo sometido a reglas, y en el cual se gana o pierde». **«Jugar» significa divertirse.**

El juego, es un *rasgo básico del desarrollo* de toda persona, que propone un aprendizaje implícito (aprendizaje significativo) a través del cual se adquieren conocimientos, capacidades y hábitos partiendo de sus experiencias e intereses.

El juego resulta tan fundamental y básico para el desarrollo equilibrado y óptimo del niño como el comer o el dormir. Nacemos sabiendo llorar y comer, el resto hemos de aprenderlo todo, y jugando se aprende más deprisa y mejor.

El niño se relaciona con el entorno y se informa sobre el mundo a través de su juego. Esa misma actividad lúdica es la que subsiste en la edad adulta, solo que cambiando de forma y papel. Sería estupendo que los adultos pudiéramos jugar a trabajar, conservando el entusiasmo y la diversión intrínsecas al juego infantil. Los niños aún no están contaminados de la desidia, el aburrimiento y la rutina que nos invade a los adultos.

Características generales del juego infantil

— **Elemento de expresión y descubrimiento de sí mismo y del mundo:** el niño a través del juego expresa su personalidad integral, su «sí mismo».

— **Interacción y comunicación:** el juego promueve la relación y comunicación con los «otros», empujando al niño a buscar frecuentemente compañeros. Pero también el juego en solitario es comunicativo, es un diálogo que el niño establece consigo mismo y con su entorno.

— **Actividad que implica acción y participación:** pues jugar es hacer, y siempre implica participación activa del jugador y de la jugadora, movilizándose a la acción. Es pura praxis, un arte.

— **Actividad fuente de placer:** el juego es, ante todo, divertido. Generalmente, suscita excitación y hace aparecer signos de alegría, y hasta carcajadas. El juego complace y sacia la sed de conocer y experimentar, lo que constituye una práctica natural del niño, desarrollada de una forma voluntaria y espontánea.

En 1935 Bühler afirmaba que el placer de jugar se desprende del desarrollo que se va produciendo en la adquisición de habilidades mediante la actividad lúdica. Así pues, el placer del juego no reside en conseguir unas metas, sino en la mera ejercitación que supone el desarrollo de dicha actividad. Un claro ejemplo de ello sería cuando:

> *Un niño disfruta más fabricando una tienda o casita con materiales que encuentra a su alrededor, que en jugar con ella después.*

O también, cuando dedica más tiempo a diseñar y luego realizar una construcción, que en utilizarla una vez terminada.

De esta forma relajada y alegre, el niño adquiere capacidad de proponer y alcanzar metas concretas, así como de planificar mentalmente, decidir y ejecutar su obra, en una actitud tranquila, equilibrada y placentera. Todo ello favorece el concepto positivo que el niño tiene de su propio yo, con lo que su *autoestima* o valoración personal potencian su *voluntad* para continuar progresando, no solo en el juego, sino también en otros muchos terrenos, como veremos más adelante.

— **Experiencia que proporciona libertad y arbitrariedad:** la característica principal del juego es que se produce sobre un fondo psíquico general caracterizado por la libertad de elección.

> *El juego es la puesta en práctica*
> *de la libertad.*
> **Schiller**

— **Actividad seria:** el juego es tomado por el niño con gran seriedad, porque en el niño, el juego es el equivalente al trabajo del adulto, ya que en él afirma su personalidad, y por sus aciertos se crece lo mismo que el adulto lo hace a través del trabajo. Pero si la seriedad del trabajo del adulto tiene su origen en sus resultados, la seriedad del juego infantil tiene su origen en afirmar su ser, proclamar su autonomía y su poder.

Para el niño el juego es algo muy serio, es su profesión. En ello emplea las mismas energías, intensidad y seriedad que un adulto en su actividad laboral, incluso más aún. Ese niño que juega es el mismo artista, científico, brillante hombre de negocios o astronauta que asombrarán en el futuro a la humanidad con sus obras.

— **Espacio de experiencia peculiar:** el juego es una reconstrucción **sin fines utilitarios de la realidad,** hecha por el niño, en la que plasma papeles de los adultos y las relaciones que observa entre ellos. En este sentido, el niño observa e imita, reproduce en sus juegos la realidad social que le circunda. Cuando un juego contiene uno o varios objetivos es necesario considerar que este objetivo debe ser el apropiado para la edad de maduración del niño.

El juego no necesita justificación ni finalidad. No es preciso explicarle al niño la conveniencia de jugar ni sus ventajas. Él mismo pide y busca jugar a todas horas. El juego es una *motivación* en sí mismo, es un reto, pero la superación de ese reto no debe suponer ningún premio, pues dejaría de ser un juego al haber alcanzado ya el propósito final. El juego, al contrario del trabajo, es inútil, tiene un carácter no instrumental, no aspira a atender a necesidades humanas materiales, se justifica por sí solo.

— **El juego presenta un carácter de instanta-neidad,** prueba de ello es la actitud de abs-

17

tracción que presenta el niño cuando juega. Mientras juega se sustrae al tiempo, ensimismado en una percepción distraída. Cuando trabajamos para conseguir una finalidad impuesta desde el exterior, el tiempo se divide en tres momentos (presente, pasado y futuro). El juego, en cambio, es una actividad rescatada del transcurso del tiempo, y vivida en todo momento en presente.

— **La ficción es su elemento constitutivo:** se puede afirmar que jugar es hacer el «como sí» de la realidad, teniendo al mismo tiempo conciencia de esa ficción. Por ello, cualquier cosa puede ser convertida en un juego, y cuanto más pequeño es el niño, mayor es su tendencia a convertir cada actividad en juego. No obstante, lo que caracteriza el juego no es la actividad en sí misma, sino la actitud del sujeto frente a esa actividad.

En el ámbito de la psicología se ha utilizado muchas veces la técnica de la **visualización positiva** como medio de curar y prevenir depresiones. Pues al jugar, el niño practica este mecanismo maravilloso de optimismo, proyectando sus expectativas y esa visión idealizada de sus deseos en su actividad lúdica. Esta aparentemente simple diversión puede convertirse en un motor poderoso de su voluntad presente y quizá futura. El niño, jugando, sueña con ser alguien, y es muy probable que si persiste en su ensoñación, siga deseando convertirse de mayor, en lo que sueña al jugar.

— **Puede implicar un gran esfuerzo:** en ocasiones el juego puede llevar a provocar que se empleen cantidades de energía superiores a las requeridas para una tarea obligatoria, pero no se viven como una obligación. Muy al contrario, se desea y ejecuta con el entusiasmo propio de una afición.

El juego desarrolla todos los ámbitos de la personalidad infantil

El juego es una actividad de capital importancia en la vida del niño. Le permite sobrevivir y descubrir modelos que imitar.

El niño no diferencia entre jugar y aprender puesto que, cualquier juego que presente nuevas exigencias al niño, se debe considerar como una oportunidad de aprendizaje.

Podemos pues, a través del juego, encauzar y orientar la conducta y el pensamiento de nuestros hijos tras escuchar y comprender lo que nos cuentan mientras juegan.

El juego es uno de los primeros lenguajes del niño, y uno de los medios más importantes que ellos tienen para expresar sentimientos, aficiones e intereses.

El juego es un «hacer» saludable, indispensable para vivir, pensar, crecer y desarrollarse óptimamente.

Actúa como factor terapéutico al favorecer el equilibrio emocional (expresa libremente su afectividad, encauza sus energías de manera positiva y placentera, descarga tensiones y libera ansiedades) y el equilibrio psicológico (ayuda a resolver situaciones traumáticas, actúa como agente preventivo de la depresión, y ahuyenta miedos e inseguridades).

El niño que juega con sus padres y seres queridos se siente atendido y cuidado, apreciado y comprendido y ello le enseña a confiar y a ser optimista. Jugando, logramos una adhesión inconsciente de la voluntad del niño, que se siente aceptado al margen de sus éxitos o fracasos (la sociedad te quiere según lo que hagas o no). Este ejercicio le prepara para afrontar desafíos, frustraciones, decidir libre y responsablemente y expresar sin miedo sus sentimientos.

MARÍA ISABEL JIMÉNEZ DOMECQ

ÁMBITOS DE LA PERSONALIDAD QUE MEJORA EL JUEGO	
Psicomotricidad	✓ Coordinación motriz y visomotora ✓ Equilibrio, agilidad, rapidez de reflejos, flexibilidad, fuerza física ✓ Manipulación de objetos (precisión prensora) ✓ Discriminación y dominio sensorial ✓ Capacidad de imitación ✓ Mejora sistema inmunológico
Inteligencia	✓ Estimula la atención, la concentración, la memoria, la imaginación, la creatividad, la discriminación de la fantasía y la realidad, y el pensamiento científico y matemático ✓ Permite emitir juicios y operaciones de análisis, síntesis, deducción, razonamiento, inferencia ✓ Desarrolla el rendimiento, el pensamiento abstracto, la comunicación y el lenguaje
Voluntad	✓ Educa el espíritu crítico, la capacidad de decisión y el sentido de la responsabilidad personal
Afectividad	✓ Desarrolla la subjetividad del niño: conciencia de la identidad singular ✓ Produce satisfacción emocional ✓ Reduce la ansiedad (aumenta la seguridad, confianza y autoestima) ✓ Controla la expresión simbólica de la agresividad ✓ Facilita la resolución de conflictos: tolerancia y comprensión ✓ Proporciona patrones de identificación sexual ✓ Descarga tensiones, favorece el equilibrio psicológico y la madurez evolutiva integral
Sociabilidad (conciencia de pertenencia a un grupo o familia)	*Juegos simbólicos* ✓ Comunicación y cooperación con los demás ✓ Conocimiento del mundo del adulto ✓ Preparación para la vida laboral y social ✓ Estimulación del desarrollo moral ✓ Desarrollo de la propia iniciativa *Juegos cooperativos* ✓ Favorece la generosidad: solidaridad (conciencia del bien común), espíritu de servicio, la comunicación, la unión y la confianza en sí mismos ✓ Potencia el desarrollo de las conductas prosociales (lealtad, amistad, respeto, objetividad y justicia) ✓ Eleva el nivel de conformidad social y el sometimiento a una autoridad ✓ Disminuye las conductas agresivas y pasivas ✓ Facilita la aceptación interracial

El proyecto educativo

Cómo servirnos del juego para realizar nuestro proyecto educativo

Como padres, nuestro objetivo es educar a nuestros hijos para que sean responsables y por tanto libres para realizar sus sueños a pesar de los obstáculos y dificultades de la vida. En definitiva, enseñarles a buscar la felicidad. Así pues, hemos de plantearnos un proyecto educativo integral para cada hijo.

Educación Temprana.

Aprovechando los instintos guía, y dentro de los períodos sensitivos que el niño va atravesando, podemos estimular, adiestrar y fomentar, mediante el juego, el desarrollo de capacidades y há-

23

bitos positivos acordes con los valores que queremos transmitir a nuestros hijos, de una manera más placentera y eficaz.

Recientes investigaciones apuntan que la estimulación del niño a edades tempranas jugando con él, favorecen la liberación de los agentes químicos cerebrales que intervienen en el desarrollo madurativo y estructural de su mente, ya que los movimientos reflejos o involuntarios controlados en la médula espinal se transforman en movimientos voluntarios controlados por la corteza cerebral o córtex.

Siempre podemos encontrar o inventar un juego a medida, que estimule al niño, según el período sensitivo en el que se encuentre, y desarrollar así cada una de las áreas de la personalidad infantil.

■ Educación Positiva.

A través del juego podemos transmitir la alegría de vivir, el lado positivo de la realidad: el arte de disfrutar y divertirse aprovechando los recursos a nuestro alcance.

Educar en positivo es educar con cariño y amor cuando nuestros hijos están contentos, alegres, divertidos, cuando les salen bien las cosas.

Educar en positivo es aprovechar los juegos

para ayudarles a ser mejores, sorprenderles haciendo algo bien hecho y reconocérselo.

El juego nos proporciona múltiples ocasiones de ser testigos de acciones buenas, es educar en positivo premiarlas con un acto de cariño, estarán deseando repetirlas: cuando ordenan un juguete, cuando juegan con sus amigos, cuando obedecen, cuando les sale bien un juego, etc.

Hemos de aprender a valorar y apreciar estos pequeños progresos que tanto fortalecen su personalidad, y que los hace tan receptivos a nuestras enseñanzas. Recordemos que, una enseñanza resulta más efectiva bajo la forma de sugerencia que de corrección, y no debemos utilizar el juego como elemento para juzgar, sino para enseñar, mediante la reflexión y la auto corrección.

■ Educación Preventiva.

La educación preventiva propone anticiparse a los futuros problemas, y que aún no han aparecido. Se trata de sentar las bases de la educación, es decir, cultivar hábitos voluntarios intrínsecamente buenos hasta que se conviertan en virtudes acordes con los valores que pretendemos sembrar en la vida cotidiana de nuestros hijos.

Los juegos pueden tener un importante papel en la educación preventiva, veamos algunos ejemplos:

La memoria la podemos potenciar por medio de juegos: Juegos de palabras, el Memory...

La toma de decisiones por medio del juego del ajedrez.

Existen juegos para ayudar a pensar y razonar.

A través de juegos podemos mejorar en el orden y la responsabilidad.

Los juegos colectivos nos ayudarán a tomar conciencia sobre la importancia de la generosidad, la amistad, la justicia...

La afición a los deportes, las excursiones, los juegos, el amor al arte y la cultura son un buen camino para apartarnos de los actuales problemas de la adolescencia.

Se ha comprobado que la práctica habitual de actividades deportivas, las cuales no dejan de ser lúdicas, transmite ciertos valores y cultiva ciertas virtudes, como:

— La aceptación del sacrificio continuado y la tenacidad en el esfuerzo como medios de conseguir la victoria justa.

— El compañerismo. El proceder honesto conforme a las reglas del juego.
— El espíritu de equipo. La solidaridad con los deseos del grupo.
— La asunción de la derrota con deportividad.
— Concepto de justicia en cuanto a las sanciones aplicables y la victoria merecida del equipo vencedor.

Educación Personalizada.

El juego, sobre todo el simbólico e imaginativo, respeta la personalidad de los jugadores. La libertad que ejerce el niño que juega y controla su actividad lúdica, le permite expresarse con total espontaneidad y naturalidad, tal y como es, tal y como se siente en ese momento. El juego actúa como espejo revelador de protagonistas, que actúan sin máscaras. De esta forma podemos reconocer la verdadera personalidad de nuestro hijo.

Mediante los juegos el niño adquiere madurez al aceptar riesgos, desafíos, retos de mayor y ascendente dificultad, sin miedo a fracasar, o al menos habiendo aprendido a no dramatizar los efectos de una derrota hasta el punto que le impida seguir jugando y divirtiéndose.

La constancia y el sacrificio, el esfuerzo continuado por mejorar, se refuerzan extraordinariamente cuando el juego actúa de fuente motivadora y de estímulo positivo para el desarrollo de una actividad lúdica.

■ Educación Motivada.

El niño se siente naturalmente motivado para jugar. Siempre está dispuesto a jugar y se encuentra particularmente receptivo a la enseñanza de contenidos y valores.

El juego constituye una motivación en sí mismo. Con el juego, se hace fácil lo difícil, incluso lo que parecía imposible.

El ambiente distendido de alegría, confianza, aceptación y cariño que propicia el juego, es el ideal para que se cree una *sinergia positiva* que favorece el entendimiento, la comunicación, y por tanto, resulta más fácil calar nuestras ideas en el corazón del niño.

El niño, cuando está contento, está más propicio para lo que le queramos pedir, comunicar o compartir con él.

Cada vez que el niño alcanza satisfactoriamente las metas que propone el juego o las que él mismo se ha marcado, adquiere confianza en sí mismo y en sus posibilidades, reforzándose así, de forma natural, el propio concepto positivo o autoestima. Igualmente, cada vez que valoramos, ponderamos o apreciamos los progresos que experimenta el niño al jugar, contribuimos de manera importante a elevar este sentimiento de satisfacción personal.

Los padres que practican deportes u otra clase de afición asiduamente, conseguirán de modo casi involuntario suscitar el interés en el niño por practicar esas mismas actividades. Del mismo modo, difícilmente un niño adquirirá el hábito de la lectura si en su hogar no es esta una práctica habitual.

■ Educación eficaz.

El juego constituye un instrumento eficaz para fijar conocimientos. Es uno de los entornos interactivos con distintos formatos, que realizamos a lo largo de nuestra vida. Si queremos, podemos convertirlo en un factor de aceleración del aprendizaje.

Todos somos conscientes de tener más facilidad para recordar los hechos, fenómenos, escenarios con más o menos detalle, que nos resultan

29

felices y agradables que los que nos son indiferentes. Esta capacidad es todavía más evidente y duradera en la etapa infantil. Los recuerdos gratos de nuestra infancia nos acompañan hasta la vejez, incluso son los últimos que se borran de la memoria histórica. La frescura de una memoria recién estrenada, como es la de los niños, es comparable a una *tabula rasa* sobre la que los primeros surcos quedan más grabados que los demás. Ello proporciona más ventajas y oportunidades maravillosas e insospechadas para la transmisión de conocimientos y sobre todo valores humanos.

■ Educación por el ejemplo.

El niño en su aprendizaje responde a un instinto natural de imitación de los adultos. Con los niños siempre es más efectivo el ejemplo practicado en casa que cualquier discurso, por magistral que este sea. Al mismo tiempo, la gran capacidad de observación de los pequeños les permite advertir cualquier incoherencia en el comportamiento de los adultos contraria al mensaje oral recibido. Reflexionemos sobre nuestros hábitos para corregirlos si es necesario. El juego, en este sentido, se convierte en un modo de transmitir formas de comportamiento, por el que los adultos podemos fomentar hábitos positivos.

Nada seduce más a un niño que ver jugar a los adultos. Por otra parte, nada más relajante que recuperar momentos lúdicos de nuestra infancia «aliñados» con unos creativos toques de modernidad.

Gracias al juego en familia podemos fomentar el sentido de cohesión y unión de esos miembros que se esfuerzan por conseguir fines comunes y ganar así el juego, siempre respetando las reglas preestablecidas incluso de común acuerdo y admitiendo sus propuestas y sugerencias que faciliten o posibiliten el juego.

Los adultos como moderadores o árbitros que participan, podemos multiplicar los efectos beneficiosos del juego:

— No permitiendo que se humille al contrario derrotado.

— Conceptuando la derrota como una oportunidad de corregir errores, especialmente en los juegos no exclusivamente dependientes del azar.

— Ponderando justamente el esfuerzo y los progresos de los participantes menos adiestrados.

— Felicitando a los ganadores justamente.

— Garantizando el cumplimiento de las reglas que salvaguardan la validez del juego.

— No sofocando la espontaneidad ni la creatividad saludables, sabiendo estar y desaparecer a su debido tiempo e intervenir solo cuando los niños se aburren o están desorientados.

Resulta eficaz preparar las actividades lúdicas entre todos y anunciarlas con antelación suficiente para que crezca el entusiasmo y la implicación, sobre todo, si se trata de salidas o excursiones.

Este afán de mejorar, en el que los padres participan con los hijos, y hermanos mayores con pequeños, y por tanto se equilibran las fuerzas, resulta sumamente motivador. Todos se adiestran e intentan superarse a sí mismos en un ejercicio sano, en un ambiente distendido, agradable, de cariño, y sobre todo, de diversión.

PARA PENSAR
PARA ACTUAR...

Para
recordar...

El juego logra desarrollar la mayoría de las capacidades y habilidades del ser humano, de una forma divertida y atractiva, por lo que se convierte en una ocasión fantástica para intensificar la convivencia alegre, comunicación y afecto en la familia, y una herramienta privilegiada para la transmisión de cultura y de valores.

Para
leer...

Para encontrar las claves de una buena comunicación en el matrimonio y en la familia, recomendamos la lectura del libro de:

Gloria Elena Franco, *La comunicación en la familia*, Col. Hacer Familia, nº 72. Ed. Palabra.

Para
pensar...

Pensemos en lo importante que es para nosotros la familia, el verles alegres y compartir momentos felices que recordar en la posteridad. Jugar es para los niños una necesidad y una experiencia placentera. De todos los momentos y cuidados que dedicamos a nuestros hijos a lo largo de su vida serán, sin ninguna duda, aquellos dedicados al juego los que permanecerán imborrables en su memoria, como tesoros de afecto, comunicación, diversión, ejemplo y educación.

ara hablar...

Temas para hablar entre los padres:

Hablar sobre las expectativas que ambos cónyuges tienen sobre cómo quieren que sea cada uno de sus hijos y detectar en cada uno de ellos, los puntos fuertes que reforzar y débiles que mejorar.

Temas para hablar con los hijos:

Hablar e interesarnos por las preferencias y gustos de nuestros hijos a la hora de jugar, para adaptar a ellos nuestra elección de los juegos y así garantizar el éxito del juego.

Para actuar...

SITUACIÓN:

La familia Núñez está compuesta por los padres, Luis y Sole y sus hijos, Rubén de 12, Elena de 9 y Miguel de 6 años. Rubén es un buen estudiante y un gran aficionado al baloncesto. Deporte que practica muy a menudo en el colegio y en el que destaca por su altura y rapidez. Elena es una niña dotada de una gran simpatía, inteligente, a la que le cuesta mucho concentrarse y a menudo rehuye el esfuerzo. Miguel es un niño extrovertido, observador y con una especial habilidad para las artes plásticas, aunque un poco perezoso. Las matemáticas no son su fuerte, y le cuesta sumar y restar.

OBJETIVO:

Ayudar a Miguel a agilizar las operaciones matemáticas y que terminen gustándole, así como lograr unificar aficiones y fomentar la unidad familiar.

MEDIOS:

Luis siempre ha pensado que el parchís es un buen juego para agilizar el cálculo mental, así que propone organizar campeonatos de parchís, dedicando dos horas semanales a este juego, especialmente en fines de semana. Con ello pretende que Miguel sea capaz de contar con agilidad y practique sumas sin darse cuenta.

MOTIVACIÓN:

Durante la comida, Luis recuerda lo importante que es compartir el tiempo libre y aficiones comunes en la familia, que ayuden a permanecer unidos, divertirse juntos y conocerse mejor, para ello propone organizar un campeonato de parchís. Idea que es acogida con entusiasmo por toda la familia.

HISTORIA:

Rubén era un poco reacio al principio, pues debido a su edad consideraba el parchís «un juego de niños». Además tiende a rechazar todo lo que no suene a novedad, pero al ver que sus padres también iban a participar en el juego, especialmente Luis, a quien admira profundamente, se animó a jugar, sobre todo tras enterarse de la finalidad del juego: ayudar a su hermano a aprender a sumar y tener una excusa para compartir, toda la familia, momentos de diversión.

Elena y Miguel, que solían pelearse a menudo, se ayudaban uno al otro en el juego, al solidarizarse en su condición de «peques» de la casa. Elena dio muestras de gran concentración en el juego, ocasión que aprovechó Sole para hacer algunas reflexiones sobre lo importante de tomarse interés en todo lo que hacemos, incluido el jugar.

Por su parte Miguel ya cuenta sin dificultad hasta 200, ha mejorado en las sumas, aparte de encontrar la utilidad de saber sumar, especialmente cuando se trata de contar 20 después de comerse una ficha.

RESULTADO:

Luis ha logrado los objetivos que pretendía y ahora el parchís es uno de los juegos tradicionales en las reuniones familiares.

Sin duda el juego fue una gran motivación, a la que es difícil que un niño se resista, y Luis supo encontrar el juego adecuado que permitiera combinar diversión, fomentar las relaciones entre padres y hermanos y a la vez el aprendizaje que Miguel necesitaba.

PARTE SEGUNDA "B"

PARA JUGAR HAY QUE APRENDER A JUGAR

Requisitos del juego

Cómo debe ser el juego, para que sea educativo

El juego, como hemos dicho anteriormente, es una actividad natural, espontánea, casi incontrolable, en el ser humano.

Jugar permite al individuo participar activamente de situaciones similares a las de la vida real, y organizar o ensayar respuestas que, en el futuro, le servirán de modelo en situaciones reales.

Sin embargo, hay que enseñarle al niño a jugar, al igual que le enseñamos a comer y vestirse. Para él, es su modo de vida. El niño cuando juega «se juega por completo». Jugar es una actividad comprometida, gratificante, una experiencia de lo más placentera, natural y espontánea.

MARÍA ISABEL JIMÉNEZ DOMECQ

A veces, juegos tan simples y baratos como: las chapas, las canicas, las tabas, la comba, la goma elástica, las cunitas, ensartar collares con cuentas de pasta alimenticia y decorarlos, clips de colores, la papiroflexia, hacer pompas de jabón, el «veo-veo», juegos con las manos («los chinos», «piedra, papel o tijeras», «pares y nones», etc.), resultan de lo más entretenidos y distraen a los niños durante horas, y muchos de ellos pueden comenzarse en cualquier sitio y situación (la sala de espera de una consulta médica, el metro y el autobús en los desplazamientos y viajes, en coche... etc.

Para que podamos considerar un **juego** como **educativo** hemos de observar si reúne los siguientes **requisitos:**

■ Que sea creativo.

Es decir, versátil, lleno de agilidad. El niño experimenta una necesidad innata de expresarse mediante gestos, vocal y gráficamente, dando así cauce a su imaginación de una manera original y con una nueva significación. De modo que, el juego, debe ser una actividad libre en la que el niño emplee sus destrezas y emprenda procesos que le permitan ser creativo e inventor. Se debe intentar que los juegos representen vivencias por las que se les recuerde con agrado. Cuanto más favorables sean las condiciones del ambiente que rodea al niño, más libremente jugará.

El niño siente la necesidad de expresarse libremente, y por más satisfecho y feliz que sea, tendrá una mayor sensación de triunfar en una actividad, en este caso el juego, si se le permite decidir sobre ella con independencia y realizarla de la manera que le apetezca.

Esta libertad presenta su máximo exponente en los juegos de imaginación, los cuales facilitan el desarrollo de la singularidad, fantasía y riqueza imaginativa propia de cada individuo. El juego une realidad y posibilidad. Es el nexo entre lo real y lo imaginario o fantástico. Hace posible lo imposible, realiza los sueños de todo jugador, convirtiendo el pensamiento en acción.

Así pues, el juego debe dar al niño la oportunidad de materializar sus ideas, plasmar su impronta personal, su originalidad y su fantasía, aunque no nos parezca del todo coherente o muy alejado de la realidad.

43

▌Que sea variado.

En otras palabras, que sea dinámico y estimulante, capaz de captar y mantener el interés del niño y se asegure su continuidad en el tiempo. El juego no debe perder su motivación principal: la diversión.

La duración del juego ha de ser elástica, pues esta es la base para que el niño domine las habilidades que está a punto de adquirir.

Si el juego es demasiado mecánico, el niño se aburrirá y lo abandonará. Se deben crear situaciones que hagan desear el realizar la actividad lúdica. A medida que el entusiasmo decae, se marca la necesidad de modificar el juego o pasar a otro, estando muy atentos a que la última etapa (en la que el niño empieza a cansarse) se corte rápidamente y permanezca el deseo de repetir.

En ocasiones, y cuando así lo permita el juego, resulta útil introducir nuevas variantes o alternativas sugerentes sobre el mismo, enriquecidas con las aportaciones y opiniones de los participantes, bien sobre sus reglas, bien sobre su desarrollo, siempre que acaben siendo consensuadas por todos. Con ello conseguimos hacerlo más flexible, vivaz, e imaginativo, adaptándose al interés de todos los jugadores.

■ Que sea progresivo.

Esto es, el juego ha de presentar distintos niveles de dificultad o pequeños problemas que supongan un desafío para el jugador, y que estos se adapten a los graduales progresos y madurez que experimenta jugando.

Como en cualquier actividad, resulta conveniente empezar por un juego que ya domine el niño, o que presente menor dificultad, para luego ir complicando la oferta de juego para que se anime a continuar con sus éxitos jugando, y aprendiendo mientras se entretiene.

Esta progresividad, es la base sobre la que se edifica el propio concepto positivo sobre sí mismo o autoestima. El niño se valora según la respuesta que los adultos, u otros niños, proyectan sobre los resultados del juego, sin perder de vista el logro de los retos personales que el niño se autoimpone. De ahí, que sea tan importante mostrar verdadero interés por sus pequeñas hazañas y ponderarlas, evitando las críticas que le resten seguridad y valor a su obra. Es preciso darle un tiempo prudencial para que exhiba su creación (dibujo, construcción, manualidad, etcétera) y crezca así su interés por superarse la próxima vez. El niño sentirá más ganas de jugar cuantas más oportunidades de lucimiento personal tenga.

■ Que sea seguro.

Jugar es fundamental, pero también lo es hacerlo en un lugar adecuado.

Se ha de poder garantizar la **seguridad** física necesaria, es decir, que no entrañe peligro potencial de que pueda dañarse al jugar, y que no obstante, pueda desenvolverse abiertamente y con soltura según sus posibilidades de movimiento. De igual modo, habrá que procurar la **seguridad psíquica** en el ámbito de desarrollo de la actividad lúdica, y que por tanto, el juego se desarrolle en un ambiente distendido, acogedor y alegre que favorezca la creatividad y las actividades grupales.

* * *

En resumen: para que un juego sea educativo debe ser **creativo, variado, progresivo y seguro.**

Especial mención debemos hacer sobre el *coleccionismo*, el cual, aparte de ser una afición muy positiva, y que puede constituir un fuerte estímulo para la unidad familiar. Mientras compartimos nuestro mejor regalo con nuestros hijos, nuestro tiempo de ocio, fomentamos la aparición de sentimientos positivos en ambas partes, creamos intereses comunes, y fortalecemos la vida de la familia.

Una colección es, sin duda alguna, una manera excelente de inculcar a los pequeños la importancia de conocer cosas nuevas, aprender a ordenar, clasificar y cuidar el «desconocido» mundo que tienen a su alrededor.

Podría afirmarse para concluir, que el juego infantil alcanza su estadio de madurez cuando el niño:

- Actúa con gran independencia, y toma decisiones autónomas.
- Respeta consignas e intencionalidades dadas.
- Denota un estado de gran concentración y placer.
- Aborda significativamente el espacio, el tiempo y los objetos.

- Establece relaciones interactivas con otros niños (diálogos, contactos corporales, juegos de conjuntos, etc.).
- Asume y conserva roles y significados dentro de su juego.
- Acoge las invitaciones hechas por el educador.
- Su lenguaje verbal y gestual es coherente a su juego.

Cómo enseñar a jugar. Combatir obstáculos

¿Por qué muchos niños de hoy no saben jugar?

En general, podríamos decir que los niños de hoy juegan menos y de forma diferente a la de hace unas décadas. Antiguamente, los juegos de la infancia eran sin fin, y en ellos el tiempo volaba. Si terminaban, se cambiaban los equipos, y se volvía a empezar. Puede que tus siguientes compañeros de equipo fueran tus contrincantes de la ronda anterior.

Entre otros, cabría señalar como razones de esta falta de recursos e iniciativa a la hora de jugar, los siguientes obstáculos para que el juego se desarrolle con la intensidad y asiduidad de antaño:

1) Limitación del Espacio.

Los espacios naturales de juego están desapareciendo, debido a que en las sociedades urbanizadas de hoy día, existe una alarmante escasez de lugares de esparcimiento público. Este fenómeno, unido al poco espacio de que disponen las viviendas actuales (donde escasamente puede alojarse una familia, y donde el cuarto de juegos ha de ser también dormitorio), ha restringido el juego cooperativo a los patios del colegio, donde sólo se juega entre iguales y por turnos.

Este obstáculo de la falta de espacio en el que desarrollar el juego, sería fácilmente salvable, en gran medida si, desde instituciones escolares, municipales y nosotros mismos, los padres, promoviéramos frecuentes escapadas al aire libre para así enseñarles a los niños, en el propio medio natural, a divertirse inventando juegos con materiales de la naturaleza («gallo-gallina» con las amapolas, «prendas», «truque», «pañuelo», «cabañas», etc.). De esta manera, conseguiríamos estimular su percepción sensorial, la creatividad, la orientación espacial, habilidades corporales, sensibilidad artística, fomentar la capacidad de observación y atención en los pequeños, aumentaríamos su natural curiosidad e interés por aprender, y por tanto, su memoria. Al mismo tiempo, lograríamos cultivar en ellos hábitos saludables y el respeto al entorno natural que visitan, así como el deseo de conservar los parajes de interés biológico. Gracias al juego, podemos convertir una excursión en una aventura, planteándoles retos acordes con cada edad y sus propios intereses.

2) Limitación del Tiempo.

El creciente fenómeno de la intensa ocupación laboral de ambos padres, y la consecuente delegación de la educación y custodia social del niño en otras personas, diferentes de los padres (guarderías, familiares, etc.) ha motivado que la práctica del juego en familia haya quedado relegada a los períodos vacacionales, como únicos espacios de tiempo, de los que los padres, como educadores por excelencia, disponen para dedicar a jugar con sus hijos.

La multiplicación de las actividades extraescolares tiende a crear una infancia sobreocupada. Es más, la excesiva cantidad de deberes y obligaciones que se le imponen al niño, han prolongado la sombra de la escuela, con su disciplina y su competitividad características, en otro espacio y en

51

otro horario, en el que se le roba el tiempo libre para jugar. Tal vez, la imposición de este rígido aprovechamiento del tiempo fuera del horario lectivo, puede conducir al niño a una posible ansiedad que le convierta en un super-niño-infeliz.

Nuestros hijos merecen todo nuestro esfuerzo por dedicarles «tiempo de calidad». Esto significa que tenemos que facilitar, propiciar o planificar situaciones para jugar. Por ello, si queremos realmente encontrar tiempo, hemos de programar una cita con el juego, al igual que programamos una cita de negocios.

■ 3) Interferencias externas Familiares.

El niño siente un interés permanente en imitar al adulto, a quien admira naturalmente. No conoce sus reglas, pero intuye que, para jugar, debe conocerlas, y por eso quiere aprender. Los adultos no deberíamos interferir negativamente en el modo de jugar (colocar, ordenar, distribuir los juguetes), sino orientarles, canalizando sus energías y respetando sus gustos y opiniones. Los padres y educadores deberemos facilitar la práctica de aquellas actividades para las que el niño muestre una marcada habilidad o un especial interés, sin agobiarle.

Los criterios lógicos de los niños son tan válidos y tan dignos de consideración como los nuestros. Y en lo que no sea necesario, no tiene por qué someterse a unos moldes. El niño tiene derecho a aprender de sus equivocaciones, al igual que antes lo hicimos nosotros, los adultos. Este perfeccionamiento y experiencia intransferibles, solo tiene un límite razonable: que la actividad lúdica no entrañe un riesgo para la salud o integridad física del niño que juega. De esta forma, el niño toma conciencia de su singularidad especial y gana autonomía.

4) Interferencias externas Ambientales.

En este grupo de factores queremos incluir todas aquellas circunstancias que limitan el desarrollo del juego, su ignorancia o abandono para ejercer otro tipo de actividades que no son ni mucho menos tan saludables. Entre estas circunstancias habría que resaltar las siguientes:

• Progreso tecnológico:

La cultura de la imagen ofrece experiencias pasivas, enlatadas, engañosas, limitadas e incluso alienantes. De ahí que el papel de los padres o educadores es fundamental para conducir y orientar al niño en el descubrimiento del ordenador y convertirlo en una valiosa herramienta para aprender a partir de los dos o tres años.

A través del *software,* el niño continúa explorando el ambiente que le rodea y aprende a conocerse mejor a sí mismo. Es más, un juego didáctico de buena calidad, permite desarrollar las capacidades intelectuales del pequeño desde la primera infancia.

Sin embargo la **ciberadicción** se ha convertido en una de las más recientes causas de aislamiento del niño o adolescente en el propio hogar, y que puede llegar a convertirse en un peligro cuando la dependencia psicológica que generan hacen que no pueda controlar la situación y no pueden pasar sin encender el ordenador, su **canguro virtual**. La falta de compañía al llegar a casa del colegio les lleva a buscar compañía en la Red, bien para charlar o compartir juegos, a veces, hasta altas horas de la noche. Incluso cuando se juntan varios amigos en la casa de alguno, es para jugar pegados a la pantalla del ordenador toda la tarde.

Este tipo de actividades sustraen al niño o adolescente de practicar otras que serían infinitamente más convenientes y saludables para él, en todos los aspectos, como es jugar en familia o con los amigos. Con el adolescente a esta edad, en la que el valor de la opinión del grupo, o de las ideas que han leído en Internet (las cuales parecen ser irrefutables, solo por el hecho de aparecer en este medio, incluso por encima de los consejos paternos), pueden dar al traste con las buenas costumbres y valores sembrados en el hogar familiar. El perfil que presentan la mayoría de estos niños o adolescentes es un alto grado de introversión e individualismo, poco comunicativos o espontáneos y con serias dificultades de socialización.

Jugar en familia puede llegar a convertirse en una sencilla forma de aumentar la vinculación con ella. Deberíamos encontrar momentos de dedicación exclusiva a ellos, compartir nuestros sentimientos, de agrado o disgusto, dialogar sobre nuestros intereses, proyectos, aficiones, etc. Jugar facilita que se muestren receptivos al diálogo. Si además recibimos en casa a sus amigos, aparte de tomarnos interés por conocerles, estamos mostrando nuestra aprobación.

• El consumismo:

El consumo se ha convertido en protagonista de los medios de comunicación masiva, los cuales nos dicen qué hacer, cuándo, con quién y dónde.

Frente a esta filosofía consumista, podemos enseñar a nuestros hijos que no es necesario tener muchos juguetes, ni muy caros, para poder jugar y divertirse. Que la imaginación es la mejor fuente de diversión, y que podemos pasarlo bien inventándonos juegos y fabricando nuestros propios juguetes, que sin ser tan sofisticados ni tan bien terminados, poseen un valor añadido, como es su originalidad, su artesanía y que son producto de nuestra habilidad e ingenio.

Por otra parte, si sabemos aprovechar cualquier situación (salidas al campo, viajes, paseos, tiempos de espera, reuniones familiares o de amigos, etcétera) para jugar con los recursos de los que en cada momento dispongamos, improvisando juegos, juguetes, o jugando a inventar juegos juntos, estaremos acostumbrando a los niños a no depender exclusivamente de la existencia de juguetes comerciales para jugar.

• La televisión y los medios de comunicación:

Los medios de comunicación y, en especial la televisión, han desplazado a la familia y a la escuela, como principales agentes educadores, para convertirse en uno de los factores que más influye en su desarrollo moral, social y en el proceso de maduración del niño.

La televisión se está convirtiendo en una «niñera electrónica», un modo sencillo de tener ocupados a los niños mientras los adultos nos dedicamos a tareas «más importantes» o a descansar.

Algunos consejos para el buen uso de la televisión:

• Buscar alternativas a ver la televisión (jugar, salidas, charlar, practicar acciones solidarias, como visitar enfermos, etc.). Que no sea el único medio para llenar el tiempo libre.

• Siempre que se pueda ver la televisión en familia, es mejor apagarla y hablar o jugar con los hijos en familia.

• Seleccionar programas de interés o grabados, no ver la televisión de forma general. No hay que dar por sentado que todos los programas llamados infantiles o «para todos los públicos» tienen un contenido adecuado, por lo que deberemos informarnos convenientemente.

- No hacer *zapping*, pues es contrario al criterio de selección que estamos intentando cultivar en nuestros hijos.
- Predicar con el ejemplo, no podemos decir a los niños que no vean la televisión y tenerla nosotros puesta todo el día.
- No premiar ni castigar con la televisión, la hace objeto de deseo.
- Fomentar los programas de interés, y que tengan que ver con el desarrollo de valores familiares, amor a la naturaleza, ocupación positiva del tiempo de ocio, estudio, cultivo de la cultura y del espíritu (documentales, biografías de personajes reales: deportistas, personajes históricos, escritores, científicos, misioneros, etc.).
- Enseñar a discriminar y a tener criterio propio.
- No permitir que los niños tengan tele en su cuarto. Solo debe haber una en casa, ya que de lo contrario servirá para separar a la familia.
- Evitar los cortes publicitarios, porque pueden ser tan peligrosos como los malos programas de televisión, ya que transmiten de forma ines-

perada e instantánea, mensajes e imágenes que pueden dañar al niño.

5) Interferencias externas del entorno escolar.

Resulta esperanzador saber que el juego proporciona herramientas de trabajo y de aprendizaje en la escuela que facilitan la comunicación entre profesores y alumnos, distiende de forma natural el ambiente, fomenta la sana competitividad entre compañeros junto a un sano espíritu de equipo, y ante todo, permite presentar y trabajar el contenido de las diferentes materias, de una manera divertida, novedosa y más eficaz.

6) Pérdida de juegos tradicionales.

Debido a las limitaciones de tiempo, espacio y a las interferencias externas ya tratadas, podemos afirmar que, hoy día, asistimos a una progresiva e imparable pérdida en la práctica de los juegos de toda la vida que tanto han divertido a varias generaciones. Y es que los rápidos avances del progreso empujan a estas generaciones actuales a gastar su tiempo en otras actividades no tan enriquecedoras.

Con el fin de animar a las familias a volver a fomentar los juegos tradicionales, a continuación enumeramos algunas de sus principales características:

1. **Anónimos**, que se transmiten de generación en generación. Son, por tanto, transmisores de formas de vida, cosmovisiones, creencias, leyendas (algunos en la historia han tenido un significado trascendente, religioso o mágico). El juego tradicional posee una importante carga simbólica, que referencia valores más allá de los meramente recreativos, debiéndose encuadrar en el contexto tradicional y actual. Con los juegos tradicionales se transmiten valores, como es el respeto a los adultos, que permite el acercamiento, diálogo y comunicación entre generaciones que hablan el mismo lenguaje.

2. Muchos de ellos son **universales** (pelota, escondite, muñecas, cometas, etc.), por tanto, son paralelos en distintos lugares geográficos.

3. Son **libremente elegidos** por los niños. Son ellos quienes deciden cuándo, dónde, y cómo se juega. Se pueden practicar en cualquier momento o lugar.

4. **Responden a necesidades básicas** de los niños, los cuales experimentan una atracción

natural hacia ese juego, de acuerdo con el período sensitivo que están atravesando.

5. Poseen **reglas de fácil comprensión, memorización y acatamiento**, las cuales son negociables, hecho que da lugar a tantas versiones del juego como se pueda imaginar y sean consensuadas por el grupo.

6. **No requieren material complicado ni costoso,** por ejemplo los de la peonza, el truque, la cometa, canicas, la comba, saltar a piola, etcétera. Si el grupo que juega es heterogéneo en edades, implica distintas modalidades, y por tanto, resulta más enriquecedor al emprender la actividad lúdica.

7. Si además el juego es acompañado de cánticos, rimas y otras expresiones verbales, se **favorecen el desarrollo de la memoria, del lenguaje y del ritmo** musical, verbal y corporal.

PARA PENSAR
PARA ACTUAR...

Para
recordar...

El juego es la profesión del niño, y tiene su punto de encuentro en el ocio de los adultos. Dediquemos el tesoro de nuestro tiempo a jugar con nuestros hijos, reservando un espacio del día como si de una cita de negocios se tratara.

Para
leer...

Una de las muchas utilidades educativas del juego, consiste en el desarrollo de la capacidad de razonamiento y la creatividad. En consecuencia, este desarrollo de la inteligencia constituye la base sobre la que trabajar en años posteriores a lo largo de su vida. Para corroborar esta idea, recomendamos la lectura del libro de:

Antonio Jiménez Guerrero, *Enseñar a pensar,* Col. Hacer Familia, nº 69. Ed. Palabra.

ara
pensar...

Meditemos sobre cuales son las causas que nos impiden jugar en familia con nuestros hijos y tratemos de encontrar alternativas que nos permitan destinar un espacio razonable para jugar todos juntos. La familia que juega unida permanece unida.

ara
ver...

La película de Roberto Benigni, *La vida es bella*. De ella podremos aprender cómo el amor de un padre por su hijo, le lleva a volcar toda su capacidad creativa y su imaginación para inventar un juego y lograr sustraer a su hijo de la cruda realidad del holocausto nazi.

ara
hablar...

Comentar en pareja, hablar entre los padres, y luego con los hijos, sobre cómo crear en la familia la afición a inventar juegos nuevos y creativos para disfrutar jugando con ellos.

Para
actuar...

PLAN DE ACCIÓN

SITUACIÓN:

Jorge y Raquel tienen un hijo, Pablo de 7 años. Ambos padres trabajan fuera de casa. Pablo fue un niño muy deseado y los pocos primos que tiene viven en otra ciudad. Es algo caprichoso, impaciente y exigente con sus padres a la hora de pedir regalos.

OBJETIVO:

Conseguir que Pablo sea menos caprichoso y más generoso.

MEDIOS:

Aprovechando que se acercan las Fiestas Navideñas, Jorge y Raquel quieren inculcar a su hijo el espíritu de generosidad y hacer que sea más razonable y menos caprichoso a la hora de pedir los juguetes a los Reyes Magos.

MOTIVACIÓN:

Pablo, como muchos niños, se deja llevar del bombardeo constante de anuncios de juguetes en televisión que se producen en estas fechas.

Sus padres quieren hacerle ver que el tener juguetes solo por el hecho de verlos anunciados no hace que sea más feliz o se divierta más, ya que el año pasado, algunos juguetes, solo salieron de sus cajas por la curiosidad de verlos, y apenas jugó con ellos.

Con estas reflexiones pretenden hacerle ver que es mejor tener pocos juguetes, pero buenos y divertidos, que muchos y aburridos. Por otra parte, hay que hacer sitio antes de que lleguen los Reyes Magos, para los juguetes nuevos, y le sugieren dar aquellos que ya no usa y que no hacen más que ocupar sitio, para otros niños menos afortunados.

HISTORIA:

Raquel y Jorge han decidido reducir el número de horas que Pablo pasa frente al televisor en estos días de vacaciones y le proponen actividades alternativas como visitar Belenes, visitar a sus primos, adornar la casa poniendo el árbol y el Nacimiento, visitas a museos y exposiciones especialmente orientados a los niños, etc.

Pablo, como es normal, está muy ilusionado con escribir la carta a los Reyes Magos. Raquel se ha estado informando sobre los períodos sensitivos de su hijo, y se ha interesado por conocer sus gustos y aficiones, y con esa información se ha sentado con Pablo, para escribir la carta, pidiendo pocos regalos, pero bien escogidos.

RESULTADO:
Los Reyes de este año han sido un rotundo éxito. Pablo ha disfrutado como nunca y sus padres están convencidos de que los juguetes que ha recibido tienen un alto valor educativo. Por otra parte, Pablo fue más generoso de lo que esperaban sus padres, y entre todos hicieron una buena selección de juguetes para dar. Además fueron todos juntos a la oficina de Misiones donde recogían los juguetes y Pablo pudo comprobar en persona cómo clasificaban los juguetes y preparaban los envíos, además de ver fotografías de los niños a los que iban destinados y en qué situación viven. Esto le hizo pensar y sentirse orgulloso de su gesto.

PARTE TERCERA "C"

> *«Los juegos infantiles no son tales juegos,*
> *sino sus más serias actividades»*
>
> (Michel Eyquem de la Montaigne.
> Escritor y filósofo francés del siglo XVI)

PRACTIQUEMOS EL JUEGO

Cómo escoger un juguete

¿Cómo elegir el mejor juguete para nuestros hijos?

El juguete constituye el soporte físico del juego. Es la herramienta del juego infantil, lo posibilita, lo estimula, y diversifica su práctica.

Paradójicamente sin embargo, el **Juego no es sinónimo de juguetes**. Cada día se compran más juegos en lugar de juguetes. Para hacer juegos no siempre es imprescindible comprar juguetes, es mucho mejor fabricarlos nosotros mismos y divertirnos haciéndolo.

Los niños que más se divierten no son, curiosamente, aquéllos que más juguetes tienen, sino los que fabrican sus propios juguetes. El **juguete casero**, de fabricación propia, pese a tener una estética menos sofisticada se compone de elementos sencillos, y su natural atractivo radica en que su diseño y elaboración constituyen una diversión en sí mismos, y fabricarlos se convierte en el objetivo de la propia actividad lúdica, de tal forma que se disfruta más en hacerlos que en usarlos después.

Muchos de los juguetes en el mercado de hoy están altamente estructurados y vinculados a la televisión y los vídeos. Estos juguetes canalizan en los niños el juego imitativo, sustrayéndoles su propia imaginación, impidiéndoles la solución de problemas y por tanto, privándoles de ocasiones para desarrollar el sentido de autonomía y la responsabilidad. El juguete debe encauzar y fomentar, pero nunca sustituir a la imaginación del niño. El protagonista debe ser el niño que es quien ha de manipularlo, manejarlo, desplazarlo y transformarlo a su antojo en todo lo que de sí dé su creatividad.

Los padres somos los juguetes favoritos de nuestros hijos, sobre todo en los dos primeros años de vida. Jugando con ellos, aprenderemos a observarlos, conoceremos su verdadera personalidad, sus habilidades, puntos fuertes que reforzar y puntos débiles que mejorar. Y si la familia es la primera y fundamental escuela de virtudes, a través del **juego en familia** los niños aprenderán una lección que no puede aportar ni siquiera el juguete más caro: la **lección de saberse queridos**. ¡Aprovechemos los ratos de juego para hablar con nuestros hijos e interesarnos por sus gustos, aficiones y preocupaciones!

Así pues, no debemos premiar a los hijos **solo** con juguetes, sino más bien con **tiempo** y dedicación para jugar con ellos. De lo contrario, les estaremos enseñando a acumular más objetos materiales que pronto abandonan, en lugar de potenciar su creatividad para usarlos y transmitirles, a través de nuestras enseñanzas, vivencias placenteras que incorporar a su vida, y que les sirvan de «despensa de alegría de vivir», de la que echar mano en los momentos tristes de la vida.

A título de ejemplo que ilustre estas afirmaciones, me gustaría incluir una anécdota personal. Una noche, al acostarse, una de mis hijas tenía firmemente cogido uno de los dedos de una mano de su padre. Todo estaba en silencio, y pasados unos minutos, cuando creía mi marido que ya se había dormido, ella le dijo en bajito: «papá, tu mano es mi mejor peluche».

Resulta innegable el hecho de que, junto con los juguetes, se transmiten como si de un legado se tratara, gran número de costumbres y valores humanos, sociales, religiosos, muchos de ellos ancestrales, sin dejar de ser un enlace con el entorno actual.

La historia de los juguetes
es parte de la historia
de la cultura del hombre.
                               Rette

Por otro lado, el juguete posee la capacidad de familiarizar al niño con el uso de objetos manejados por los adultos que le rodean, y en este sentido, podría afirmarse que **un juguete adecuado** es aquel que anima al niño a desarrollar la natural capacidad de adentrarse en **el juego imaginativo y significativo.** No en vano, jugando es uno de los primeros modos de relación del ser humano con los objetos, de acuerdo con las referencias socioculturales del medio en el que vive.

Al igual que hemos dicho refiriéndonos al juego, el juguete permite desarrollar sentimientos afectivos que favorecen positivamente la madurez mental y emocional del niño, ya que este proyecta en él de una forma espontánea e inconsciente, sus fobias y deseos más profundos.

Igualmente, facilita y orienta al niño para que se sumerja placenteramente en el juego, actúa canalizando la expresión de lo que siente, teme y anhela, sueña en su interior. El juguete entonces, se convierte en confidente, cómplice de sus planes, el amigo íntimo con el que se transporta a cualquier sitio.

Cuando un adulto vuelve la mirada hacia atrás, hacia sus juegos de niño, probablemente recuerda, con el mayor cariño, los ratos que pasó jugando a cualquiera de las mil y una variantes del escondite o cuando, a la hora del recreo, equipados con botas de agua, los compañeros de clase se metían en el charco y se transformaban en experimentados ingenieros hidráulicos, abriendo canales y cerrando presas.

Si se siente desbordado ante tanta oferta de juguetes, ¿por qué no prueba con aquellos con los que usted disfrutó cuando era niño? También sus hijos disfrutarán con ellos.
Stevanne Auerbach,
Directora del Instituto de Recursos para la Infancia, de San Francisco

MARÍA ISABEL JIMÉNEZ DOMECQ

Los padres nos estamos enfrentando constantemente a decisiones acerca de qué juguetes comprar, y qué juguetes desechar. A la hora de comprar un juguete, por lo general, solemos elegir el juguete que nos gusta, no el que realmente necesitamos. La compra de un juguete debe ser meditada y no tanto fruto de un impulso, pues debe durarle un tiempo razonable.

El problema surge cuando nuestros gustos o los de nuestros hijos (si es que ya tienen capacidad de elegir), son fruto de la «educación» que ejercen los medios de comunicación en sus presentaciones espectaculares, con esos embalajes tan atractivos, y esos personajes famosos de películas, series de televisión, equipos de fútbol que sirven de ganchos publicitarios para vender más. No debemos sucumbir a las tentadoras y atractivas peticiones de los «pequeñajos».

Ante este panorama, resulta imprescindible orientar a los **menores de cinco años** a la hora de elegir sus juguetes, sin dejar de respetar sus gustos y preferencias personales. A partir de esa edad, nuestra labor educativa consistirá en asesorar cariñosamente al niño antes de la compra de un determinado juguete, explicándole razonadamente los motivos de nuestra preferencia y las utilidades que le reportaría a él, e incluso a los demás.

Si por alguna razón estamos en contra de que se adquiera tal o cual juguete, le haremos saber las razones de nuestra oposición, y en tal caso, deberemos presentarle en su lugar algunos juguetes alternativos dentro de un cierto presupuesto, entre los que podrá elegir el que más le guste.

Tal es el caso de *los juguetes bélicos o sexistas*, cuya elección desaconsejamos totalmente. El aprendizaje hoy, ha de ser dinámico, participativo, menos agresivo, más agradable y sin tensiones. Sería conveniente informar al resto de los familiares y amigos íntimos sobre nuestras preferencias, en virtud de este papel insustituible que desempeñamos los padres y educadores, para que, a la hora de regalarle al niño un juguete, las tengan en cuenta antes de comprárselo.

Al adquirir o regalar un juguete deberíamos cerciorarnos de que no estamos comprando alguna de estas clases de juguetes:

—*Juguete chantaje:* aquel con el que premiamos o castigamos el comportamiento del niño. Corremos el peligro de convertir a nuestro hijo en un materialista. Obrar el bien debe verse como una obligación interna y un deseo de agradar o ayudar a los demás, no como un medio para obtener una recompensa material.

— *Juguete envidia:* aquel que adquirimos con la intención de que el niño no se quede sin tener los mismos juguetes que el vecino, compañero de trabajo o de la escuela.

— *Juguete revancha:* aquel juguete que regalamos para ejemplarizar o ese que siempre quisimos tener y nunca tuvimos en nuestra infancia, y que se convierte en una «asignatura pendiente» que pensamos aprobar comprándolo a nuestro hijo, le guste o no.

— *Juguete remordimiento:* muchos padres experimentamos un cierto sentido de culpabilidad debido al poco tiempo libre y de disfrute que dedicamos a nuestros hijos, y nos tranquilizamos pensando que comprándoles muchos juguetes cubrimos ese vacío. En tales casos, un regalo no es más que la disculpa por no habernos regalado a nosotros mismos.

El amor se expresa en primer lugar
en el estar con alguien,
más que en el hacer algo por alguien.
Madre Teresa de Calcuta

El número de regalos que reciben los niños en Navidades se ha triplicado en los últimos veinte años, por lo que resulta del todo recomendable reservar unos cuantos e ir racionando su entrega a lo largo del año. Lo más loable sería inculcarles la generosidad y convencerles de la bondad de donar algunos de ellos, los que ellos elijan, para aquellos niños que no tienen juguetes y que pongan un zapato en su nombre al pie del árbol. Se trata de una bonita forma de dar sentido de gratuidad y alegría que implica la Navidad.

Elegir el mejor juguete para cada momento no es un juego. Por ello queremos concluir este epígrafe, incluyendo un sencillo y breve decálogo que resuma lo anteriormente expuesto y sirva de guía en la elección de los nuevos juguetes.

MARÍA ISABEL JIMÉNEZ DOMECQ

Cómo identificar un juguete con valor educativo

1. CALIDAD MATERIAL: Es imprescindible, que el juguete esté BIEN DISEÑADO, que su tamaño se adecue a los miembros del niño (teclas grandes, fáciles de apretar...), que no presente bordes ni aristas con los que pudiera dañarse. Que los materiales con los que esté fabricado sean de buena calidad, sólidos, de confección resistente, inífugos o no inflamables, explosivos, tóxicos (especialmente el material gráfico) o radioactivo, que sea duradero y seguro, que tenga textura agradable, materiales resistentes y fáciles de limpiar.

2. Se deben elegir juegos y juguetes que fomenten la destreza y las habilidades del niño. Muchas veces los juegos más complicados son los más caros, los menos divertidos y se rompen con mayor facilidad. Es conveniente que sean estimulantes con colores vivos y atractivos, dibujos claros y expresivos, que inviten a jugar.

3. CREATIVO: El juguete ideal es aquel que permite al niño ser el protagonista del juego y, al

mismo tiempo, le gratifique compartirlo con otros niños y adultos. Por eso, los juguetes preferidos son aquellos que son versátiles, polivalentes, que permiten la ejecución de múltiples posibilidades, con accesorios y complementos que diversifiquen el juego. Lo importante no es lo que hace el juguete, sino lo que el niño es capaz de hacer con él.

4. DE CALIDAD FORMAL Y PROGRESIVO: El juguete no solo ha de ser bonito, y adecuarse a los gustos y preferencias del niño, sino también sencillo de manejar, en otras palabras, que esté adaptado al nivel de desarrollo y madurez psico-afectiva del niño. En este sentido, se deben tener en cuenta las indicaciones que hacen referencia a la edad a la que el juguete va dirigido, así el niño no se aburrirá o frustrará.

5. Los juegos y los juguetes no son productos solo de peques, también de adolescentes e incluso de personas adultas. Por tanto, hay que leer detenidamente las ETIQUETAS antes de comprar, al igual que las INSTRUCCIONES DE USO Y ORIENTACIONES PEDAGÓGICAS que, a veces, se incluyen. Es

obligatorio que las instrucciones figuren, al menos, en la lengua oficial del estado donde se venda.

6. SEGURIDAD: En las etiquetas y rótulos de los juegos y juguetes se debe alertar acerca de los riesgos que puede entrañar su uso, y la forma de evitarlos. Esto es muy importante cuando funcionan con electricidad (los cuales han de estar aislados y protegidos adecuadamente), o cuando utilizan productos químicos, dardos u objetos punzantes. Asimismo, ha de constar cuándo un juego o juguete tiene componentes pequeños, bolas o pelotas con diámetros inferiores al establecido o el relleno pueda salirse de la bolsa que lo contiene, ya que puede suponer un peligro para los más pequeños. En estos casos, el etiquetado debe incluir una advertencia clara y legible indicando «no recomendado para menores de 3 años o de 36 meses».

7. NO EXCESIVAMENTE RUIDOSOS: Evitemos los juegos y juguetes que emitan mucho ruido, por encima de lo legalmente establecido, ya que pueden causar daños en el sistema auditivo del niño.

8. **INNOVADORES:** Es decir, que incorporen los últimos avances en informática y electrónica, sin que ello sustituya la imaginación y libertad creativa del niño, que todo juguete debe respetar. Los juegos de ordenador y los videojuegos no son perjudiciales si controlamos directamente el **contenido** y el **tiempo** que a ellos dedicamos. Pero siempre son más sanos los juegos al aire libre (cuando el tiempo los permite) y aquellos que ayuden a socializar en el caso de los adolescentes y niños especialmente introvertidos o con dificultades para exteriorizar los sentimientos.

Los juegos

Guía de juegos y juguetes por edades

La siguiente clasificación pretende ser orientativa y práctica, de modo que, en ocasiones se puede observar que el uso recomendado de un juguete no pertenece solo a una determinada etapa sino a varias edades de las comprendidas en distintas etapas de desarrollo del niño. Además, a veces los mismos juguetes cumplen distintos objetivos conforme el niño va creciendo y su nivel de desarrollo va evolucionando paralelamente.

Somos los padres y educadores los que sabiamente debemos evaluar el estado de maduración del niño para adaptar los juguetes convencionales a las exigencias del momento del niño.

MARÍA ISABEL JIMÉNEZ DOMECQ

Juguetes para edades comprendidas entre 0 y 2 años

Jugar en esta etapa es una expresión de las denominadas «actividades de autodesarrollo». El bebé aprende a adaptarse a un medio radicalmente distinto a aquel del que procede. Aprende a desempeñar por sí mismo las funciones vitales que hasta el momento del nacimiento realizaba su madre, incluso habrá de desarrollar el sistema inmunitario propio que le defienda de los agentes ambientales. En esta sorprendente, incluso milagrosa capacidad de adaptación, reside gran parte de su maravillosa potencialidad de aprendizaje de un organismo virgen y realmente sensible a cualquier agente externo.

El niño en esta etapa aprende por imitación y a través del método de ensayo-error. Está demostrada la importancia para su correcto desarrollo, de someter al bebé a multitud de estímulos sensoriales, para adiestrarle en la adquisición de las habilidades básicas. Una vez que estas habilidades básicas han sido adquiridas, conviene variar las condiciones de los distintos estímulos o las situaciones en las que estos se presentan, para enriquecer al máximo el ambiente en el que el bebé desarrolla su actividad, y lograr así mantener su motivación alejada del aburrimiento.

Al nacer, las neuronas forman una red, y se van conectando en todas las direcciones, a medida que el niño recibe estímulos. A los dos años su cerebro contiene el doble de sinapsis (espacios de conexión entre neuronas) y consume el doble de energía que el de un adulto.

El aprendizaje hace que los impulsos eléctricos usen más unos caminos neuronales que otros, fortaleciendo los más usados y atrofiando el resto. Por tanto, cuanta más diversidad y frecuencia de estímulos reciba el niño, más complejas serán las estructuras que se formen, hasta la pubertad, etapa en la que la estructuración del cerebro se da por completada.

El objetivo de nuestra actuación educativa no es el de acelerar el natural desarrollo del niño, sino aprovechar plenamente todo su potencial desde el principio. Tan perjudicial es someter al niño a un exceso de estimulación, como la insuficiencia de ella.

Educar a esta edad temprana consiste en incitarle a actividades que le permitan aprender algo nuevo y útil, proporcionarle el máximo de oportunidades para que adquiera una amplia gama de estímulos y gran variedad de experiencias, invitarle y alentarle para que se entregue a la actividad lúdica con el máximo de libertad, sin forzarle ni alterar sus biorritmos fisiológicos.

El bebé necesita una cierta estabilidad (física y afectiva). Para procurar la estabilidad física, hemos de empezar a educar desde los primeros días, intentando establecer un orden y un horario adecuados que sirvan de guía, sin imponerlos de manera rígida o estricta sobre las necesidades particulares del bebé sin caer, sin embargo, en una irregularidad arbitraria que resultaría dañosa. Debemos estar atentos a los síntomas de cansancio del niño, de hambre, de dolor o molestias, etc. El principio general a seguir en la crianza y buena educación de un niño, es el sentido común, fruto de una atenta observación del estado y las reacciones del bebé, y en caso de duda, recurrir al consejo de los especialistas.

La estabilidad afectiva es fruto de la armonía, cariño, tranquilidad y respeto que se vive en el ambiente familiar y que el bebé percibe y acusa de manera clara. Por ello, resulta aconsejable que el bebé mantenga un contacto activo tan constante como sea posible, con un pequeño grupo de personas que le sean familiares, en particular los padres, hermanos, abuelos, etc. Cuando resulte imposible ocuparse personalmente de él, hemos de procurar mantenerle ocupado indirectamente y tratar de suscitar el buen humor del pequeño, porque se desarrollará mejor cuanto más feliz sea.

El bebé experimenta placer al contacto amoroso y el calor afectivo de sus cuidadores, en especial de la persona o personas que satisfacen sus necesidades básicas. Las caricias y el trato cariñoso son fundamentales para el crecimiento integral del niño, incluso podemos convertirlas en medio de premiar los logros que paulatinamente vaya consiguiendo, y recompensar su actitud activa en el juego que alcanza su objetivo.

Al mismo tiempo, estamos proporcionando un estímulo positivo que motiva al niño a desear seguir jugando y aprendiendo a jugar, y ese disfrute queda grabado en su memoria para siempre, incluso podría decirse que constituyen un tiempo de disfrute forjador de personalidades optimistas y predispuestas a la felicidad.

En esta edad existe un predominio de los juegos funcionales y no reglados, de movimiento o ejercicio. El interés del niño se centra en manipular y explorar las distintas posibilidades de su cuerpo y las de los objetos que le rodean. Se caracteriza por tener un gran componente sensorial y motor que permite consolidar hábitos de autonomía a través del método de ensayo-error. Suele ser un juego solitario, excepcionalmente cooperativo.

Ejemplos de juguetes para esta edad:
- Aquellos que desarrollan sus habilidades psicomotrices y adiestren al niño en la coordinación de los movimientos y la percepción sensorial y espacial. Para este propósito, son especialmente aconsejables los juegos que incluyen actividades de arrastre, gateo, volteo, croqueta...
- El juguete favorito a esta edad, es su propio cuerpo y sus papás y hermanos. Cuanto más amplio sea el círculo de personas con las que trata habitualmente, más sociable será su personalidad y menos extrañará.
- Deportes personales: natación, pelota...
- Música repetida mientras juega, ya que se estimula directamente el llamado Sistema Límbico en el cerebro donde también reside el centro del placer. También son recomendables

recitarles poesías y cuentos repetidos. Podemos ayudarnos de las canciones populares que nos cantaban nuestras madres:

— *«Aserrín, aserrán, las campanas de San Juan, piden queso, piden pan, aserrín, aserrán».*

— *«Cinco lobitos tiene la loba, blancos y negros detrás de la escoba, cinco tenía, cinco criaba y a todos los cinco los amamantaba».*

— *«Misi gatito, pan conejito, misi gatazo, pan conejazo».*

— *«Tín Marín, de dos pingüé, mátara, cacara, pícara, cucara, que este fue».*

— *«Este puso un huevo, este lo frió, este le echó sal, este lo probó, y el más pequeño de todos se lo comió» (para estimular la sensibilidad de las yemas de los dedos).*

— *«Cucú, Tras-tras» (juego de desaparecer para aparecer después de unos instantes, o taparnos la cara con un pañuelo y que al decir «tras-tras» el bebé nos lo quite).*

— *Repetir, dejando un tiempo de respuesta, los «ajos», «gorjeos», y balbuceos del bebé, e irlos alterando ligeramente para animarle a perfeccionarlos, y a continuar emitiéndolos.*

91

> — «*Cuando vayas al carnicero, le dices que te corte por aquí, y luego por aquí...(van subiendo las caricias desde la palma de la mano, hasta la axila donde acabamos haciéndole cosquillas).*

* Canciones tradicionales del **folklore popular**:
— «El patio de mi casa».
— «Tengo una muñeca vestida de azul...».
— «¿Dónde están las llaves Matarile - rile - rile - rile?»...
— «Que viene mamá pata...».
— «Estaba la pastora».
— «El cocherito leré».
— «Al pasar la barca».
— «La tarara sí, la tarara no...».
— «Tres hojitas madre».
— «Mambrú se fue a la guerra».
— «Vamos a contar mentiras».
— «Estaba la rana cantando debajo del agua».
— «Estaba el señor Don Gato», etc. Y todas aquellas que se nos ocurran. Los bebés no son muy exigentes con la calidad musical de las canciones que interpretan sus papás.
— «Pimpón es un muñeco...».

— «Debajo de un botón - tón - tón, que encontró Martín - tín - tín, había un ratón - tón - tón...».

— «La chata Berenguela güí, güí, güí...».

— «Palmas, palmitas que viene Papá/Mamá», «palmas palmitas que ha venido ya».

— «Las tortitas, los tortones, para mi niño/a, los coscorrones».

— «Soy un niño chiquitín, revoltoso y bailarín, y con los platillos hago CHIN-CHIN-CHIN».

— La canción de «Las mañanitas del rey David».

• Canciones en otros idiomas.

• Música clásica barroca: Mozart, Vivaldi, etc. Llevando el ritmo de la misma con palmaditas en el pañal, o bailando con el bebé, cantando a la vez que la música instrumental.

• Idiomas: hablarle, ponerle canciones, juegos, etcétera en el idioma deseado. Mostrarle cariño hablándole en el idioma extranjero que se desee enseñar.

• Sentar al bebé de unos tres meses en adelante y simular que monta a caballito y decimos: «Al paso, al trote, y al galope», aumentando la intensidad del movimiento y la velocidad.

93

- Guiarle en el descubrimiento de sus miembros ayudándole a cogerse los pies y jugando con sus manos.
- Jugar con él después del baño mientras le embadurnamos de crema hidratante, y también hacer gimnasia de piernas y brazos con él, y tirar con sus manitas asidas de nuestros dedos, cuando veamos que él hace intención de tirar hasta la posición de sentado.
- Fomentar su curiosidad ofreciéndole objetos de fuerte colorido y sonidos diferentes, incluso pequeños espejos de plástico. El gimnasio de bebés del que hay muchas marcas en el mercado, es un juguete ideal ya desde los primeros meses.
- Ver diferentes ambientes.
- Leerle cuentos sencillos repetidos, con colores vivos, con relieve y distintas texturas, con botones y sonidos de animales u objetos musicales.

Juguetes por edades de entre 0 y 6 meses.

El bebé abre los ojos a un mundo que lo rodea y lo envuelve de sensaciones que poco a poco irá descubriendo. Empieza a captar imágenes de conjunto y prefieren los contrastes. Los juguetes más apropiados para esta etapa, son aquellos que estimulan sus sentidos y le invitan a descubrir su cuerpo. Por supuesto, las caricias, las canciones y el contacto con el adulto resultan fundamentales. Para estimular el juego del bebé, los juguetes deben captar su atención a través del tacto, la vista o el oído.

En esta etapa es fundamental que alguien haga de intermediario acercándoselos para ayudarle a descubrirlos y a disfrutar de ellos. Le atraen más las personas que los objetos. Su atención se mueve rápidamente de un estímulo a otro. Su principal juguete son ellos mismos y sus padres. La iniciativa la toma el adulto y el niño se limita a apoyar el juego. Predominan los juegos funcionales de movimientos o ejercicios.

Algunas propuestas de juguetes interesantes para esta edad son las siguientes:

- Móvil de cuna: con colores vivos y contrastados, colocado a 20 cm de su cara en los barrotes de la cuna.
- Carillón musical que dé vueltas y emita música. Sus muñequitos deben ser grandes y con vivos colores.

95

- Juguetes con músicas o sonidos: sonajeros de tela, madera, plástico o látex, manoplas y calcetines con cascabeles, peluches con sonidos.
- Música para bebés y nanas. Incluso canciones grabadas con la voz de sus padres. Para relajarles o mientras maman es muy adecuada la música clásica de Vivaldi.
- Centros de actividades, con actividades para mirar, tocar, etc. Arcos con colgantes de colores con variedad de colores y texturas, alfombras y tapetes donde recostar al bebé.
- Gimnasios con anillas, animales, bolas, etc., que al agarrarlos o golpearlos se muevan y emitan sonidos.
- Juguetes con colores, tactos y sonidos, no muy grandes. Ligeros, que se puedan chupar y sin piezas que puedan ser tragadas, en tela, madera o plástico, que el bebé pueda visualizar fácilmente tumbado en su cuna, y pueda igualmente alcanzar al tender sus manitas y experimentar con las distintas texturas de estos materiales. Es aconsejable que se acompañen de músicas alegres.
- Lámparas que reflejen luces de colores y formas en movimiento. Algunas con luces que giran con música.

— Juguetes del baño. De diferentes materiales, como corcho, plástico, goma... Unos que floten y otros que se hundan.

— Espejos de juguete (irrompibles), situados a una altura en la que se pueda ver cuando apoya la cabeza y suficientemente grandes para que el bebé vea reflejada su cara y pueda percibir cómo cambia su imagen cuando se mueve.

• Juguetes de goma para morder.

• Pelotas de peluche o de otro material con colores vivos y grandes para que pueda tender los brazos e intentar abarcar su perímetro.

• Trapecios para el cochecito o la cuna con bolas, anillas, pequeñas muñecas de trapo o animales que se puedan agarrar, estirar, golpear, etcétera.

• Cadena de muñecos ensartados con una goma, que se sujetan a la silla de paseo.

— Libros blanditos. De plástico o tela, irrompibles.

— Tumbona. Desde los dos o tres meses, para que pueda observarte y escucharte mientras haces las tareas domésticas.

97

— Objetos cotidianos. Déjale ver y tocar las cosas que utiliza en la casa, con diferentes texturas y tamaños.
— Columpio para colgar del marco de las puertas, con un muelle.
— Cintas de vídeo adecuadas para esta edad, repetidas hasta que notemos que se aburre. Pueden ponerse en otro idioma aunque no lo conozcan los padres.

Juguetes para edades de 6 a 12 meses.

Está en la edad del descubrimiento del entorno, y el juego es el momento de la adquisición de experiencias nuevas y básicas para el desarrollo del patrón comunicativo. Comienza también a reconocer voces y algunas palabras sencillas y pronto le oiremos emitir palabras simplificadas.

Esta etapa es en la que adquiere el manejo de objetos de manera perceptiva, y con un valor simbólico. Poco a poco el bebé va controlando cada vez con mayor precisión el movimiento de sus manos y de todo su cuerpo en general, lo que le va a permitir rápidamente no solo agarrar con firmeza los objetos a su alcance, sino desplazarse para conseguirlos. La boca es un elemento más para descubrir los objetos que se encuentran a su alcance. Los juguetes que más le interesan son los que le permiten desarrollar su iniciativa y descubrir qué movimientos hacer y qué efectos provocar. Repetirá movimientos porque disfruta produciendo ruido, o al obtener una sensación táctil.

Para que pueda sacar un mayor partido a sus juguetes necesita de la complicidad de un adulto que se los presente de forma atractiva, que comparta las sorpresas con él y que le estimule a ir descubriendo muchas otras posibilidades. Pero el juego espontáneo a esta edad es típicamente solitario aunque los espacios de juego estimulados y compartidos con los adultos van a convertirse en entrañables momentos de comunicación.

Ya es capaz de sentarse y pronto podrá gatear y desplazarse hasta alcanzar los objetos que llaman su atención. En esta edad tan inquieta, sobre todo tras sus primeros pasos, comienza su proceso de autonomía e independencia.

Le suele encantar la música. Si ya se mantiene de pie –mediante un punto de apoyo como la mesa– te deleitará con su balanceo, intentando «bailar» sonidos muy rítmicos tipo *rap*.

A los doce meses, más o menos, comenzará a lanzar pelotas, arrastrar juguetes, tirar montañas de cubos apilables, desmontar piezas grandes de un juguete, y a explorar en el aparato de vídeo.

Sus juguetes favoritos siguen siendo él mismo y su familia.

Ejemplos de juguetes para esta edad:

- Juguetes con sonido y movimiento, como cajas, almohadones, mantas de colores, alfombras de actividades y carruseles musicales, fáciles de accionar con un simple toque.
- Espejos de juguete (irrompibles), suficientemente grandes para que vea reflejada su cara y pueda percibir cómo cambia su imagen cuando se mueve.
- Objetos para palpar, tocar y acariciar.
- Tentetiesos con sonido.
- Centros de actividades para colgar en la cama, el parque o la silla del coche, que combinen diferentes propuestas sensoriales y manipulativas: tocar, accionar, escuchar, descubrir, etc. También pueden ser en forma de mesa.
- Mordedores de colores y alguno de enfriar en la nevera.

- Muñecos de trapo muy blanditos, de entre 30 y 40 cm aprox., sin pelo, lavables y de material resistente a los roces.
- Pelotas de diversos materiales, como tela o goma, y distintas texturas: lisas, rugosas, luminosas, sonoras, etc., siempre fáciles de agarrar.
- Juguetes para la bañera.
- Pianos de teclas grandes y de colores.
- Balancines de madera o plástico, con protectores laterales, de tipo arnés para que el niño quede bien sujeto.
- Animales grandes para subirse o estirarse encima, que sean suaves y sin pelo.
- Cubos grandes de espuma forrada para apilar o subirse encima.
- Juguetes de arrastre.
- Objetos que rueden y se desplacen, como pelotas, coches, cilindros...
- Libros de imágenes simples, con texturas y sonidos, en cartón duro o tejidos plastificados.
- Teléfonos de juguete.
- Correpasillos.
- Puzzle y rompecabezas de piezas grandes.
- Rampas, columpios, balancines, muelles múltiples, toboganes bajitos y escalas a baja altura.

- Columpio colgante del marco de la puerta con muelle.

■Juguetes para edades comprendidas entre 12 y 24 meses.

Es una etapa de grandes cambios, en la que el niño adquiere una gran movilidad y autonomía. Su inteligencia sensorio-motriz le permitirá manipular objetos y explorar el espacio. Su prensión se va afinando y le permite una gran independencia manual y la posibilidad de realizar nuevas hazañas como ensartar, encajar, apilar piezas, etc.

En esta etapa tan crucial del desarrollo del niño en dos ámbitos básicos de una relevancia trascendental como son la capacidad del lenguaje y las bases de la sociabilidad, nuestra intervención como educadores es vital. A los dos años se cierra el mecanismo que permite al hombre convertirse en un ser sociable, capacidad asentada en el lóbulo frontal y en el Hipocampo del cerebro, donde reside la conciencia del propio yo. De modo que el juego con hermanos y demás familiares, niños y adultos, y amigos de la familia, constituye un estímulo muy

positivo para que aprenda y se cree una toleran-
cia natural a miembros que no sean del núcleo
familiar.

Por otro lado, y como ya hemos apuntado, hablarle al bebé a menudo, con cariño, y gesticu-
lando mucho, es la mejor escuela para que
aprenda a hablar. También resulta positivo hablarle en otros idiomas, si se saben, o ponerle au-
diciones o vídeos repetidos en otras lenguas ya
que aprenderán de una forma natural y sin el más
mínimo esfuerzo.

Si además empezamos a leerle cuentos de fotos,
imágenes, dibujos, nombrándole los objetos en la
propia lengua o en otra, estaremos sentando las
bases para un desarrollo óptimo del habla de
nuestro hijo.

Este período del segundo año de vida, es también el ideal para empezar a inculcarle el hábito
del orden. Se ha comprobado que bebés de siete
meses que además de mantenerse sentados por
sí mismos, son capaces de establecer categorías
de objetos, agrupándolos por familias de animales, muebles o vehículos. El orden es la virtud
base de las demás. Por ello, debemos cultivar
este hábito saludable de una forma divertida

como jugar a ordenar y a esconder cosas siempre en el mismo lugar (canción «*A guardar a guardar, cada cosa en su lugar...*»). Después, cuando ya dominen ese juego, podemos guardar juguetes al ritmo de la música, unas veces de una forma más lenta, y otras más rápida, alternando el ritmo para que no sea aburrido.

También podemos jugar a guardar cosas con un reloj de arena que nos marque el tiempo. Si nos excedemos del tiempo deberemos pagar una prenda, y así sucesivamente.

Otros juegos que les encanta son «El corro de la patata», «Pase misí, pase misá por la Puerta de Alcalá», «A la zapatilla por detrás», «La gallinita ciega», «Teléfono disparatado», «Poner el rabo al burro», «La silla».

Ejemplos de juguetes para esta edad:

• Lámparas que reflejen luces de colores y formas en movimiento. (Teatros de sombras).

• Juguetes con sonido y movimiento, como carruseles musicales, tentetiesos, instrumentos musicales, pianos-alfombra, etc.

• Espejos de juguete (irrompibles), suficientemente grandes para que vea reflejada su cara y pueda percibir cómo cambia su imagen cuando se mueve.

- Juguetes de madera o plástico para golpear.
- Juguetes de madera, plástico o tela para apilar o colocar en hilera.
- Juguetes de madera o plástico para apilar de mayor a menor y encajar unos dentro de otros, como cubos, barriletes, etc.
- Encajables de formas geométricas.
- Encadenables y ensartables.
- Pirámides de 3 a 5 anillas con la base plana.
- Utensilios para jugar en la arena.
- Juguetes que floten para jugar en la bañera y utensilios para jugar con el agua.
- Balancines de madera o plástico, con protectores laterales.
- Correpasillos y triciclos sin pedales.
- Juguetes con sonido y movimiento para arrastrar o empujar.
- Pelotas grandes y pequeñas.
- Ceras, pintura de dedos, estampines grandes de esponja, etc.
- Libros-juego de cuentos en plástico, tela o cartón grueso plastificado y con imágenes de colorido profuso e intenso.

- Pompas de jabón.
- Muñecos de trapo o plástico blandito de entre 30 y 40 cm aprox.
- Accesorios muy sencillos para el juego con muñecos: cuna, platos y cubiertos, biberón, etcétera de plástico.
- Marionetas de dedos o guante, guiñoles, etc.
- Peluches de animales.
- Casitas y granjas sencillas con personajes que se puedan agarrar fácilmente con la mano.
- Vehículos con personajes para acoplar.
- Garajes sencillos con pocos elementos.
- Teléfono de juguete.
- Cochecito de muñecos.
- Construcciones: Encajes sencillos de madera, plástico de 2 a 5 piezas con pivote o agujeros para ponerlos y sacarlos con facilidad. Construcciones de piezas grandes fáciles de encajar o apilar.

Juguetes para edades comprendidas entre 2 y 4 años

El niño de dos a cuatro años consigue ahora una movilidad corporal completa, la cual le ofrece

nuevas posibilidades de exploración e independencia. Aprenderá a dosificar sus increíbles energías y aumentará su sentido de orientación espacial. Los conocimientos adquiridos en esta etapa
se recuerdan y se emplean en los posteriores movimientos y manipulaciones.

Estamos ante la fase de hiperactividad por excelencia. El niño se pone a prueba constantemente,
subiéndose y bajándose de la silla o intentando
desplazarse con un triciclo, y todo bajo una máxima: reclamar su autonomía haciéndolo... ¡él
solo! Con ello, quiere poner a prueba el control
que tiene de sus propios movimientos y de las cosas que manipula.

Este período, también llamado *preconceptual*,
se encuentra dominado por los juegos simbóli-
cos que implican la representación de un objeto
por otro. El lenguaje ayuda poderosamente en
esta nueva capacidad de representación.

En los juegos de ficción los objetos se transforman para simbolizar otros que no están presen-
tes. Lo importante son los objetos que representan, y se atribuye a los objetos significados más o
menos evidentes, simula acontecimientos imagi-
nados, interpreta escenas con roles reales o ficti-

cios, que se coordinan cada vez a un nivel más complejo, asignándose a los niños múltiples roles y distintas situaciones.

Con la edad estos juegos evolucionarán cada vez más, acercándose a lo que representan. El proceso de pensamiento no abarca solo lo inmediato y presente, sino que tiene acceso a acontecimientos pasados y se anticipa a los futuros.

Es la etapa de la imitación, realmente deliberada, de la conducta de los adultos en la vida cotidiana. La observación y la atención son fundamentales en esta época.

También comienza a desarrollar el sentido de la propiedad con los juguetes. En esta edad, la dificultad de compartir debe combatirse no forzando al niño y alabando sus actos de generosidad.

■ Juguetes para edades comprendidas entre 2 y 3 años.

Está en la edad de destrucción y desorden, ¡déjale que la disfrute! Empieza a comprobar el dominio que posee sobre los juguetes: le quitará las ruedas al coche, las cabezas a las muñecas, destruirá el puzzle de su hermano mayor. A esta edad, posee un alto grado de rebeldía (porque todavía no han asimilado todas las normas) y cuenta con una gran dosis de inquietud (porque continúa con su afán de explorar). No te alarmes, porque pronto comenzará su etapa de reconstrucción y orden. El desarrollo intelectual se centra en la percepción y el movimiento. A los tres años, puedes iniciarle en el mundo de los cuentos.

Su dominio del lenguaje junto al interés por interpretar y explorar las relaciones hace que aparezca un interesante juego, el juego simbólico, en el que repite e imita situaciones vividas junto a los adultos en su vida cotidiana, y que resulta vital para el desarrollo de su inteligencia. Combina las palabras utilizando verbos y sustantivos y empieza a tener memoria episódica. Los juegos corporales evolucionan en la dirección de una mayor coordinación motriz.

Le gusta sentirse acompañado por otros niños, observarles, acercarse y conocerles, a la vez que reclama a menudo la participación del adulto, como espectador que presencia su juego. Una buena idea para enseñarles a compartir y evitar conflictos es proponerles juegos que inviten a colaborar juntos.

Resulta muy positivo recordarle al niño situaciones reales vividas o narradas, para sugerirle, apelando a su gran memoria, recrearlas o alterarlas imaginativamente sobre el juego. También es importante narrarle lo que van viendo y observando durante un paseo o hablar de las historias familiares, en determinadas ocasiones, que ayuden a los niños a crear sus propias historias.

Ejemplos de juguetes para esta edad:
- Teléfonos de juguete.
- Animales de peluche.
- Cocinas.
- Juegos de té.
- Muñecas y accesorios.
- Molinillo de viento.
- Bloques para construir.
- Rompecabezas sencillos.
- Juguetes que promuevan el parear por formas, colores o símbolos.
- Juguetes para clasificar.
- Juegos de enhebrar siguiendo una línea de agujeros que forman una figura grande y sencilla.
- Muñecos a los que se les pueda adherir las orejas, ojos, boca, nariz y otros accesorios para

ayudarles a reconocer las partes del propio cuerpo. («Mister Potato»).

- Objetos que se puedan encadenar y/o ensartar, como las pinzas de la ropa.
- Meter los cordones de las zapatillas o zapatos por los agujeros.
- Juguetes para jugar con agua para trasvasar el liquido de uno a otro.
- Recipientes para llenar y vaciar.
- Juguetes básicos para contar y aprender los números.
- Programas sencillos de ordenador.
- Juguetes con sonido y movimiento, instrumentos musicales sencillos, etc.
- Espejos de juguete (irrompibles), suficientemente grandes para verse de cuerpo entero.
- Pompas de jabón.
- Juguetes de madera o plástico para apilar de mayor a menor y encajar unos dentro de otros, como cubos, barriletes, etc.
- Encajables de formas geométricas.
- Pirámides balancín con 5 o más anillas.
- Cajas para clasificar y ordenar.
- Utensilios para jugar en la arena: palas, cubos, rastrillos, cernedor, embudo, tazas, jarra, botes de plástico, etc.

111

- Pelotas grandes y pequeñas para chutar y lanzar.
- Columpio y tobogán de 3 o 4 peldaños.
- Correpasillos y triciclos sin pedales.
- Caballitos balancines.
- Carretilla.
- Juguetes con sonido y movimiento para arrastrar o empujar.
- Tubo de gateo para pasar por dentro.
- Material de artes plásticas: lápices, acuarelas, tizas, témperas, ceras, pintura de dedos, plastilina, arcilla, barro.
- Libros-juego con pictogramas y sonidos musicales, que suenan al apretar un botón, según cada pictograma. Este tipo de cuentos son interactivos y favorecen enormemente el gusto por la lectura.
- Muñecos de 40 cm aprox., que se puedan bañar, con vestidos para vestir y desvestir, de trapo o plástico.
- Accesorios sencillos para el juego con muñecos: cuna, cochecito o silla de paseo, armario para la ropa, bolsa de viaje con complementos (platos, biberón, babero, pañales), etc.
- Casitas, granjas, escuelas con personajes y complementos fáciles de manipular.

- Coches pequeños y garajes de una sola planta.
- Disfraces muy sencillos y fáciles de poner y quitar. Complementos para los disfraces.
- Casa para jugar dentro.
- Encajes planos de más de 6 piezas.
- Puzzles de sobremesa de 6 a 12 piezas medianas.
- Puzzles de suelo de 8 a 12 piezas grandes y de colores brillantes.
- Construcciones para atornillar de plástico o madera, de piezas grandes y medianas.
- Casete con micrófono con grabaciones de canciones y cuentos.
- Juguetes de imitación de la vida diaria (batería de cocina, de supermercado, muebles, maletín de médico, etc.).

■ Juguetes para edades comprendidas entre 3 y 4 años.

En esta etapa, el juego simbólico se consolida y toma un protagonismo tal que lo convierte en crucial para el posterior desarrollo de otras capacidades.

A partir de los tres años, el niño posee autoconciencia, piensa y decide por sí mismo y se diferencia de los demás.

113

Su capacidad de comunicación y la escolarización hacen que se amplíen sus relaciones sociales. Adquiere las primeras nociones de cantidad, espacio, tiempo, etc. Poco a poco se convierte en un gran «parlanchín», que todo lo pregunta y todo lo quiere saber. Llega la edad del «¿por qué?». Cada vez es capaz de concentrar la atención durante más tiempo y de participar en actividades colectivas. Jugar, y sobre todo jugar con otros, es su más preciada ocupación.

Predominio del juego simbólico y dramático. Perfeccionamiento de juegos de movimiento y manipulativos. Apogeo de juegos verbales y cognitivos. Inicio de los juegos corporativos: empiezan a diferenciar su conducta y las actitudes ajenas. Reparto de papeles y roles.

Es mucho más diestro con sus manos y tiene un mayor dominio de su cuerpo, el cual ejercita y perfecciona día a día, aumentando su habilidad y control, pero es el juego simbólico el que ocupa un papel más destacado, ya que todo lo vivencia y transmite a través de esta actividad. Monta en triciclo y sube una escalera alternando los pies y sin ayuda.

Resulta muy positivo crear en los niños la costumbre de ayudar a recoger sus juegos y materiales, al ritmo de una música animada, por ejemplo, o como si fuera un concurso. Esta etapa corresponde con el período sensitivo del orden en el niño, al que le interesa mucho manipular conjuntos, reagrupar y clasificar según su criterio o un solo principio de orden. Así mismo, le fascina el montaje de elementos múltiples y organizar las partes de un conjunto. El niño de esta edad tiene poca propensión a considerar los objetos o acontecimientos desde un punto de vista distinto al suyo.

Al terminar la jornada, el niño debe ser capaz de dejar las cosas ordenadas, la ropa bien colgada y guardar el material cuando deja de trabajar.

A partir de los cuatro años, y hasta los siete se considera que el niño atraviesa la llamada **etapa intuitiva o del pensamiento intuitivo o pensamiento con imágenes**, y en la que, el simbolismo, va cediendo terreno a la fantasía. Esta clase de pensamiento será la base para el posterior pensamiento lógico.

Los juegos de construcción, de ensamblaje o montaje implican un conjunto de movimientos y

MARÍA ISABEL JIMÉNEZ DOMECQ

manipulaciones que están suficientemente coordinadas, y cuando esto ocurre, el niño se propone inmediatamente, un fin o tarea precisa.

Al final de esta etapa, ya se interesa por los juegos de mesa, o juegos reglados, con reglas simples y concretas directamente unidas a la acción, y apoyadas generalmente por objetos y accesorios bien definidos. Recomendamos especialmente aquellos juegos que ponen a prueba habilidades intelectuales como la memoria o le permiten demostrar sus conocimientos, por ejemplo sobre los colores, las letras o los números. Son los llamados juguetes cognitivos.

Ejemplos de juguetes para esta edad:
- Peonzas visuales y sonoras.
- Libros con historias cortas y dibujos, de ilustraciones y cuentos. Libros del alfabeto.
- Hacer pompas de jabón.
- Calidoscopios sencillos y de figuras grandes.
- Instrumentos musicales: tambores, maracas, cajas chinas, xilófono, flauta, etc.
- Bolos.
- Coser botones, perlas, abalorios de juguete y formas geométricas para ensartar de un ta-

maño medio a más pequeño. (Hacer competiciones de velocidad).

- Hacer competiciones de coser botones.
- Utensilios y juegos para el agua y la arena y de jardinería.
- Juego de atarse los cordones de los zapatos.
- Juguetes para encajar de menor a mayor de tipo marioshka.
- Triciclos, coches de pedales y bicicletas de 4 ruedas.
- Canasta para jugar al mini-basket.
- Circuitos de psicomotricidad.
- Bolos.
- Escaleras verticales y horizontales donde pueda practicar la braquiación. (Juego de los camareros llevando agua).
- Patrón cruzado y arrastre homolateral, gateo, croqueta, caminar de puntillas y talones, rodar por una pendiente.
- Patines en línea o de 4 ruedas con freno.
- Trapecios y pequeños toboganes de exterior.
- Zancos de pie (de 20 cm de alto).
- Pelotas de diferentes medidas.
- Lápices de colores, ceras, rotuladores, tizas, pizarras y estampines.

- Peluches.
- Muñecos bebé grandes y pequeños para vestir, peinar, bañar, etc.
- Muñecos maniquí de cuento: hadas, magos, príncipes, princesas, etc. Títeres y marionetas sencillas.
- Muñecos en miniatura articulados y reproducción de ambientes: la granja, la escuela, barcos piratas, castillos, el circo, casas de muñecas, etcétera.
- Casa de muñecas y accesorios para el juego con muñecos: coches de paseo, cambiadores, vestidos, armarios para guardar la ropa, vajillas, baterías de cocina, tiendas, comidas, biberones, etc.).
- Vehículos: coches de plástico o madera grandes (para cargar cosas) o pequeños de funcionamiento manual, con pilas recargables o de fricción.
- Garajes de 2 o 3 pisos.
- Trenes sencillos de funcionamiento manual o a pilas, etc.
- Juegos de imitación de oficios: accesorios de peluquería y tocadores, maletines de médicos, bancos de carpintero, guitarras, baterías musicales, etc.

- Casas y tiendas indias para jugar dentro.
- Teatros de títeres y títeres de guante o dedo.
- Disfraces y complementos de héroes, hadas, oficios, etc.; maquillajes y espejos donde mirarse.
- Magnetófono, micrófonos, etc.
- Puzzles, mosaicos y rompecabezas de hasta 30 piezas aproximadamente, grandes o medianas, para jugar en el suelo o en la mesa.
- Construcciones de piezas pequeñas o medianas de madera o plástico para encajar o enroscar.
- Juegos para moldear: arcilla, plastilina, etc.
- Juegos de cartas de familias con imágenes de familias, hábitats, oficios, etc.
- Teatro de sombras.
- Juegos de mímica.
- Juegos de dominó con imágenes, palabras y números.
- Juegos de memoria.
- Juegos electrónicos de preguntas y respuestas sobre letras, números, reconocimiento de sonidos, etc.
- Juegos de bolos o anillas de plástico o madera.
- Diana con pelotas y velero.
- Equipo de juguete para acampar.

119

- Cocina y alimentos de juguete.
- Caja registradora y dinero para jugar.
- Juego de té.
- Figuras de acción en situaciones de reto.
- Juguetes para parear y clasificar.
- Juguetes para aprender las formas, los colores, los números y las letras.
- Juegos de mesa sencillos.
- Programas sencillos de ordenador para el aprendizaje temprano.

Juguetes para edades comprendidas entre 4 y 6 años

Está en la edad de buscar continuamente compañeros de juego. En la escuela, ha aprendido a ser sociable y a relacionarse con sus iguales, y puede participar en juegos grupales de ganar y perder. Ahora el **juego asociativo** comienza a adquirir un notable papel, ya que, en un principio, la actividad lúdica comienza siendo individual, egocéntrica o en paralelo, y luego se torna colectiva. Mediante el juego cooperativo el niño se relaciona, y comienza a considerar los deseos de los compañeros, empezando a salir del subjetivismo anterior, aunque con frecuencia surgen conflictos entre ellos. La causa es que no suelen respetarse demasiado las reglas y todos quieren ganar.

En este período evolutivo tienen aún gran relevancia los **juegos sensoriales, perceptivos y motores.** Es curioso por naturaleza y no cesará de hacer preguntas. Si es extrovertido ¡se volverá un verdadero charlatán! El lenguaje presenta un gran avance en cuanto a la morfología y la sintaxis. Podemos sorprendernos de la fluida y, a la vez congruente que puede llegar a ser la conversación de un niño de cinco o seis años con sus juguetes o inventando nombres para sus muñecos y peluches. También es un buen momento para comenzar el aprendizaje de otros idiomas.

Al principio de esta etapa, estará empezando el *período sensitivo de la lecto-escritura,* por lo que resulta del todo aconsejable empezar a estimular la psicomotricidad fina y la precisión táctil y prensora que inició de bebé, y por otro lado, fomentar la dedicación habitual de un espacio de tiempo en el horario del día para leer. Toca a los padres decidir qué ratito (diez o quince minutos al día) es el más adecuado para obtener el rendimiento óptimo de su hijo, aunque con vistas a crear un hábito duradero, quizá la hora más adecuada sea antes de dormir.

Ya habrá adquirido un gran desarrollo psicomotor, aspecto que habrá de tenerse en cuenta a la hora de hacerle un regalo porque necesita quemar esa inagotable energía que tan nerviosos nos pone a los adultos muchas veces. En este sentido, podríamos señalar que sus juegos preferidos son los **juegos de movimiento**, correr, saltar, lanzar y capturar pelotas, el escondite, juegos de persecución, natación, etc.

Ahora, más que nunca, le encanta jugar a ser mayor, a imitar el mundo de los adultos. Imitará desde sus expresiones y gestos hasta sus actividades profesionales. Será la edad de sus primeras actuaciones y representaciones de teatro. Todavía perdura el **juego simbólico**, que se inició a los dos años, el cual adquiere un carácter crucial en esta fase del desarrollo, y aún continuará hasta los seis años aproximadamente. También le entusiasmará disfrazarse y su imaginación es desbordante. Representa roles dramáticos con gracia y soltura, ya que está en la edad de los **juegos de fantasía**, los cuales le permitirán desarrollar posteriores operaciones cognoscitivas más complejas. A través de ellos el niño ignora las características físicas de los objetos y se convierten imaginariamente en otras cosas.

El niño de seis años, tiene capacidad de elaborar las llamadas *operaciones concretas* o ajustadas a lo real. Asimismo, comienza ya a desarrollar su capacidad analítica, superando el anterior globalismo preescolar.

Aunque su atención sea inconstante y difusa la mayoría del tiempo, gracias a las actividades lúdicas, como los juegos de pelota, domina con soltura los parámetros espacio-temporales y los conceptos básicos operativos que sustentan su percepción, sabiendo diferenciar sin problemas distancias, trayectorias de movimiento, áreas y volúmenes, velocidad y aceleración de los objetos. Precisamente, estos objetos acaban siendo materia de clasificación, seriación, numeración y conservación.

Consecuentemente hay que destacar la importancia de **los juguetes cognitivos**, es decir, aquellos que estimulan diversos procesos cognitivos tales como la atención, la memoria, el razonamiento, la creatividad, la lengua, la capacidad de análisis y síntesis o la lógica.

123

Juguetes para edades comprendidas entre 4 y 5 años.

A través del juego simbólico los niños **comprenden y asimilan el entorno que les rodea**, transforman la realidad de los objetos en cosas imaginadas por ellos, así una funda de gafas se convierte en teléfono, un zapato en un camión o una toalla en una capa.

De igual forma, **representan situaciones de la sociedad actual**, asumiendo roles de otras personas, jugarán a ser policías, bomberos, profesores, etcétera. Los imitarán casi a la perfección ya que son capaces de realizar los movimientos y gestos con mucha exactitud.

Perfeccionan destrezas. Edad en la que el juego creativo es más rico. Se amplía la solución de problemas y emerge el talento atlético. El arte abre las puertas de la imaginación. Debemos exhortar al niño a hacer dibujos sobre viajes, collages y pintura para expresar su experiencia. Los adultos debemos proveerles del material necesario y un lugar cómodo para trabajar. Hablar y comentar con él su obra, que la interprete y se exprese artísticamente. De esta forma mejorará la comunicación además de percibir una perspectiva diferente.

Para potenciar la sensibilidad del oído debemos continuar poniéndole música clásica en muchas ocasiones.

Debemos enseñarle a jugar, jugando con él. Su admirable memoria se desarrolla notablemente mediante la lectura de cuentos sencillos de forma repetida. Con ello, también podemos cultivar valores tan importantes como el de la sinceridad, la amistad, la honradez, la lealtad, la humildad, etc. incluyendo moralejas y enseñanzas fundamentales que extraer de esos cuentos inventados a diario, que tanto les fascinan, y que siempre nos piden que repitamos, a la espera de cazarnos introduciendo algún cambio en su argumento, y en los que se alaben estas virtudes, despreciando sus opuestos.

Por otra parte, el hacerle BITS de inteligencia (fichas grandes donde aparece una imagen del concepto que pretendemos enseñarle) consigue potenciar extraordinariamente estas elásticas y jóvenes inteligencias.

El hábito del orden se trabaja mucho más fácilmente, instaurando la costumbre de jugar a ordenar sus juguetes y su ropa, alabando las ventajas que a ellos mismos, y a la familia en conjunto, reporta. El coleccionismo es una afición que apoya este hábito al clasificar los objetos.

Ejemplos de juguetes para esta edad:
- Bicicleta.
- Columpios y puente.
- Tiovivos y toboganes.
- Trepar, escalas verticales y horizontales.
- Saltar a la comba y zanjas.
- Bailes y rondas.
- Juegos de destreza física y equilibrio: rescate, tula, cortahilos, polis y cacos, pañuelo, sangre, las cuatro esquinas, churro, etc.
- Recortar y pegar figuras mosaico o papel.
- Puzzles, encajar, componer, adosar.
- Dominó de figuras e ideas.
- Dominó de colores y formas sencillas.
- Juegos de pelota: «Pies quietos», etc.
- «Juego de las cunitas» con un hilo.
- Resolver dibujos con errores y diferencias.
- Construir pueblecitos. Las construcciones se renuevan constantemente, desarrollan extraordinariamente la imaginación, la paciencia, la habilidad manual, la precisión y la coordinación vista-mano.

- Juegos de múltiples posiciones y combinaciones.
- Cuentos fantásticos cuya trama comprenden el poder de formular juicios prácticos.
- Dramatización, guiñoles, recitar poesías, trabalenguas, acertijos, etc. Con estos juegos, los niños adquieren y desarrollan las capacidades expresivas, orales, gestuales, corporales, y plásticas.
- Juegos socializados, hacer murales.
- Bailar y hacer cadeneta con las manos al bailar.
- Inicio de juegos de mesa: parchís, oca, etc.
- Accesorios para simular actividades domésticas (cacharritos de cocinar, jugar a las tiendas, plancha, cocinas, escoba, vajilla, de peluquería, carpintería, etc.), los cuales favorecen la imaginación y el juego simbólico.
- Cartones de coser con lana.

■ Juguetes para edades comprendidas entre 5 y 6 años.

Al comienzo de esta etapa surgen los juegos de reglas que consisten en **actuar de acuerdo a unas normas** o instrucciones que los niños han de conocer y respetar. A través de ellos aprenden además de a ganar, a someterse a ellas y esperar turnos, aceptar derrotas y acuerdos amistosos.

Continúa predominando el juego cooperativo, aunque el pensamiento egocéntrico no desaparece. El juego grupal contribuye, además de a la socialización del niño, al desarrollo de **habilidades**, de la **memoria**, del **lenguaje** y la **atención**.

Los juguetes de esta edad deben:
- Estimular su adquisición de vocabulario.
- Favorecer el desarrollo de su coordinación óculo-manual y habilidades lectoescritoras y de conceptos matemáticos de la edad.
- Ayudarles a expresar su afectividad y a comunicarse con sus iguales.
- Desarrollar su incipiente memoria.
- Fomentar su creatividad e imaginación.

Ejemplos de juguetes para esta edad:
- Bicicleta y accesorios para la bicicleta.
- Juegos de pelota: «Pies quietos», «balón prisionero», etc.
- Patines.
- Patinete de 3-4 ruedas.

- Accesorios deportivos: Balones, raquetas, canastas, etc.
- Ping-pong. Les prepara para jugar bien al tenis, padel, baloncesto...
- Cuerda para saltar.
- Canicas y circuito para canicas.
- Juegos de tricotar.
- Arquitectura de piezas pequeñas.
- Rompecabezas (ensamblaje y creación de diseños propios).
- Construcciones de casas y castillos.
- Granjas de animales.
- Pizarra tradicional o «con mandos».
- Juegos de puntería: diana de pelotitas con velcro, bolos, petanca, críquet.
- Accesorios para simular actividades domésticas: cocinitas, limpiezas...
- Tiendas de campaña y túneles de tela.
- Mecano de piezas grandes.
- Globos, saltadores y aros.
- Vehículos en miniatura (barcos, trenes, coches, aviones, motos, etc.).
- Garajes.
- Coches teledirigidos.
- Juego de autopista con accesorios.

129

- Recortables y tijeras con punta roma.
- Lápices de colores, pinturas, pinceles, acuarelas, rotuladores, etc.
- Libros para colorear y/o con pegatinas.
- Libros de actividades infantiles adaptados a su nivel.
- Plantillas y moldes para dibujar y modelar.
- Muñecos articulados y complementos.
- Casa de muñeca y muñecos pequeños.
- Títeres, guiñoles, marionetas, etc.
- Cajas organizadoras con distintos compartimentos para recoger sus juguetes.
- Todo tipo de disfraces y cajas de maquillajes.
- Juegos y accesorios de exploradores (prismáticos, linterna, walky-talky…).
- Juegos de tiendas, médicos…
- Microscopio infantil.
- Reloj de juguete.
- Grabaciones de cuentos y canciones.
- Libros de historias cortas e ilustradas.
- Juegos de memoria visual como el «Memorión», el «Simón», etc.
- Dominó de imágenes, números y asociaciones.
- Mini-invernaderos con plantitas para cultivar.

- Juegos de mesa sencillos: damas, ajedrez, parchís, oca...
- Bingo.
- Miniordenadores con fichas para aprender.
- Alfabetos de plástico o madera.
- Juguetes electrónicos (como mínimo deben saber leer para poder utilizarlos adecuadamente).

Juguetes para edades comprendidas entre 6 y 8 años

Aumenta su interés por los juegos que requieren aceptar y seguir reglas, acordando y pactando las normas junto a otros jugadores. Todo lo quiere saber y por todo pregunta. Los juegos que le ayudan a ampliar conocimientos o a poner en práctica los que ya tiene despiertan su interés.

La mayoría de ellos son **juegos de mesa** sencillos o reglados que son la actividad lúdica más tardía y propia del ser socializado, y cuya edad representativa oscila entre los siete y once años, como el ajedrez, el parchís, el dominó, las cuatro en raya, etc. O juegos que se realizan **en el suelo** como las carreras de chapas, las canicas o la peonza.

MARÍA ISABEL JIMÉNEZ DOMECQ

En el ámbito psicomotor se limita a mejorar y a afinar las destrezas y habilidades adquiridas en las etapas anteriores. Predominan los juegos de fuerza física, ritmo, equilibrio, control corporal.

Lograremos desarrollar su memoria gracias a la entonación emotiva que vayamos a atribuir a los refranes, acertijos y poesía, así como a la lectura de curiosidades actuales o científicas.

También hemos de destacar el inicio en los deportes de equipo, donde está presente por un lado la **cooperación** y por otro lado la **competición**.

Al mismo tiempo, el juego de imitación continúa ocupando un importante lugar. El niño representa de forma minuciosa y precisa todo lo que ve, oye o percibe, aderezándolo con una inagotable imaginación. Sus habilidades motrices, junto al interés por los juegos en grupo, convierten a los juegos de patio en uno de sus pasatiempos más atractivos.

A esta edad su capacidad de comunicación y relación con otros niños da un salto espectacular. El niño necesita sentirse acompañado de sus iguales y compartir con ellos experiencias, juegos y actividades. Facilitarle la oportunidad de disfrutar de experiencias junto a otros niños es fundamental.

Entre los 6 y los 8 años pasa del razonamiento intuitivo al concreto. Esto quiere decir que deja de guiarse por su percepción y empieza a razonar lógicamente, de acuerdo con realidades concretas. Todavía tiene dificultades para pensar en ausencia de los objetos de conocimiento.

Los retos constituyen para ellos una fuente de motivación. Los juegos científicos, inteligentes o lógicos facilitan la abstracción y aumentan la capacidad de aprendizaje.

Los juguetes en esta etapa deben:

- Potenciar la habilidad, la atención y capacidad creadora, la destreza, la imaginación y la afirmación individual.
- Desarrollar la agudeza matemática, el vocabulario, el arte, la memoria y las dotes musicales.
- Ampliar los conocimientos escolares y anticipar las situaciones adultas profesionales, como la informática, la electricidad, biología, física, química, etc.
- Fomentar el uso de reglas de convivencia y relación con sus iguales.

133

- Desarrollar las habilidades motoras: bicicletas, patinetes, etc.
- Fomentar la imitación: cocinitas, muñecas, banco-taller, disfraces, granja con animales, castillo, garaje de cochecitos, etc.
- Potenciar la imaginación, la creatividad al servicio de la resolución de problemas: puzzles y construcciones.
- Educar el oído musical: piano electrónico, flauta, batería, xilofón, tambor, etc.
- Ver: cintas de vídeo infantiles, programas de televisión, teatrillo de marionetas, espectáculos como teatro, circo.
- Educación artística: pizarra, lápices de colores, pinturas al dedo, pinturas de pincel, pasta de moldear, recortables.
- Poner en práctica habilidades sociales de cooperación y competición: juegos de mesa (ajedrez, oca, parchís), juegos de puntería (diana, bolos, petanca, críquet).
- Para la lectura: libros con argumento sencillo, libros de animales (con muchas fotografía), libros de ecología, libros de misterios egipcios, cuentos de aventuras, enciclopedias infantiles

para consultar. Pueden organizarse «Maratones de lectura entre amigos».

- Para el jardín y el baño. Casas o tiendas de campaña para jugar dentro, túnel de tela, tobogán, columpios, piscina portátil, pelotas...

Ejemplos de juguetes para esta edad:

- Caleidoscopios.
- Peonzas.
- Bicicletas.
- Patines en línea o de 4 ruedas con freno.
- Patinetes de tres ruedas.
- Aros hula-hoops.
- Zancos.
- Cuerdas de saltar.
- Pelotas.
- Lápices de colores, ceras, rotuladores, tizas y pizarras.
- Modelado de arcilla, plastilina y pastas para moldear.
- Picado de figuras de papel.
- Muñecos bebé grandes y pequeños para vestir, peinar, bañar, etc.
- Cabezas de muñeca con pelo para peinar.

- Pelotas de todo tipo.
- Muñecos maniquí.
- Peluches.
- Accesorios para el juego con muñecos: coches de paseo, cambiadores, vestidos, armarios para guardar la ropa, etc.
- Muñecos articulados y reproducción de ambientes: barcos piratas, castillos, el circo, casas de muñecas, naves espaciales, personajes de ficción, etc.
- Vehículos: coches miniatura de fricción o «retro», desmontables y conectables, a escala, teledirigidos sencillos, etc.
- Garajes de varios pisos.
- Pistas looping.
- Trenes sencillos de funcionamiento con pilas o eléctricos, etcétera.
- Tiendas con sus accesorios: carrito de la compra, máquina registradora, balanza, dinero de fantasía, comida, flores, etc.
- Juegos de imitación de la vida cotidiana: cocinas con agua, baterías de cocina y vajillas de aluminio o barro, planchas, hornos, etc.
- Juegos de imitación de oficios: accesorios de peluquería y tocadores, jardinería, maletines

de médicos, micrófonos, karaokes, baterías musicales, guitarras, máquinas de coser, walkie talkie, etc.

- Casas y tiendas indias para jugar dentro.
- Teatros de marionetas, marionetas de guante o dedo.
- Disfraces y complementos de héroes, hadas, oficios, etc.; maquillajes y espejos donde mirarse.
- Magnetófono para escuchar y reproducir.
- Puzzles y mosaicos de entre 50 y 100 piezas aproximadamente. Construcciones de piezas pequeñas de madera o plástico, para encajar o enroscar.
- Encajes crecientes y decrecientes.
- Mosaicos.
- Bolitas y cuentas para montar collares y abalorios.
- Juegos para hacer perfumes, flores, etc.
- Telares, *Petit Point*, punto de cruz, etc.
- Juegos de mesa clásicos: oca, parchís, damas, dominó, cartas de familias, etc.
- Juegos de magia de pocos y sencillos trucos.
- Juegos de memoria.
- Juegos de habilidad, como las canicas, etc.

- Juegos de estrategia de tipo tres en raya, abalone, ajedrez (aprender los movimientos), etc.
- Juegos de preguntas y respuestas de tarjetas y electrónicos sobre conocimientos, vocabulario, cálculo, reconocimiento de formas geométricas, etc.
- Ordenadores infantiles con juegos de habilidades motrices, preguntas y respuestas sobre vocabulario y lenguaje, operaciones matemáticas, formas geométricas, etc.
- Juegos deportivos: bolos, anillas, petanca, etc.
- Diana con dardos de ventosa.

Juguetes para edades comprendidas entre 8 y 12 años

Los niños a esta edad tienen una necesidad básica de experimentar y probar cosas nuevas. Su pensamiento, a partir de los 8 años, tiene posibilidad de efectuar procesos de análisis y síntesis. Tiene gran curiosidad por conocer detalles y clasificar. Aumenta su capacidad para retener datos. Comprende e integra las acciones que realiza. El amplio desarrollo del lenguaje que experimenta le abre muchas posibilidades tanto intelectual como socialmente.

A partir de los 10 años y hasta los 12 consolidará cada una de estas características, su pensamiento es más ordenado y flexible y actúa con mayor agilidad mental.

Siguen prevaleciendo los **juegos de reglas**, estos siguen evolucionando hasta adquirir una mayor complejidad. Ahora los niños pueden entender el porqué de las normas y saben que sin ellas el juego no estaría ordenado y estructurado. Además de estos juegos, a esta edad se interesan por otras actividades, como pueden ser las actividades manuales o las relacionadas con **el deporte**, el cual contribuye al desarrollo físico, a que los niños se diviertan, se relacionen, sean constantes, disciplinados y a pensar en los compañeros. A través del deporte los niños también aprenden la importancia del esfuerzo personal y de la superación. Pero a esta edad lo que buscan es la diversión que les proporciona, y la encuentran practicando deportes como el fútbol, baloncesto, balonmano, etc.

Las actividades manuales, les permite desarrollar la creatividad y la imaginación. Realizar actividades como pintar, dibujar, modelar figuras de barro o con plastilina, son actividades que producen gran satisfacción y favorecen su autoestima.

Hemos de destacar también en esta etapa los **videojuegos y juegos electrónicos**, son juegos audiovisuales que figuran entre sus aficiones favoritas. Estos tipos de juegos han sido muy controvertidos, pero bien seleccionados y controlando el tiempo que el niño les dedica, pueden contribuir a que aprenda a centrar su atención, a ejercitar la memoria, a tomar decisiones, etc.

Está en la edad de buscar su autonomía, pero también de participar activamente en las actividades de los mayores –confía en él–. Conviene fomentar y reforzar el gusto por la lectura –le ayuda a imaginar, crear pensamientos abstractos– frente al poder que ejerce la televisión y los juegos de ordenador.

Cambiará constantemente de juego y de amigos porque su personalidad se confronta con la de los demás, necesita reafirmarse en su propia personalidad. Es la etapa de juegos de tipo intelectual como «El ahorcado», palabras encadenadas, pasatiempos... Habrá adquirido un gran desarrollo atlético y disfrutará practicando el deporte que más le atraiga; el deporte será uno de los juegos más importantes en su educación. Le atraerán los juegos de lucha y violentos –aléjale de ellos–. Comienza a tener gustos más personales (el fútbol, los animales, patinar...).

En esta edad, la curiosidad de etapas anteriores se transforma en ansias de conocimiento y los niños prefieren relacionarse entre sí y comparar las habilidades que han ido adquiriendo a través de juegos de grupo.

Ahora sus amistades son más duraderas y aparece la figura del mejor amigo. Aunque sigue dedicándose ocasionalmente al juego simbólico y a las construcciones, los juegos de reglas son los que realmente acaparan su interés. Estos le permiten demostrar sus capacidades físicas e intelectuales ante sus amigos, a los que procura parecerse e impresionar. Su capacidad de crear y pactar normas le permite disfrutar de juegos más elaborados en grupo.

Para enseñarle a expresarse y a enfrentarse al público, resulta muy instructivo y útil el organizar jornadas para hacer teatro, representando los papeles repartidos del argumento de las películas infantiles favoritas, recitar poesías, contar cuentos, bailar, tocar instrumentos, cantar, etc., sobre todo en vacaciones o en ocasiones en las que se reúne un buen número de familiares o amigos.

Conseguiremos potenciar su inteligencia y trabajar su capacidad de concentración y atención, al jugar con ellos al ajedrez u otros juegos de mesa afines, como las damas, backgammon, rummikub, etc.

Conviene confeccionar un horario que permita aprovechar el tiempo. Ello le ayudará a mantener el orden y a disponer de más tiempo para jugar. Podemos premiar su actitud colaboradora en labores domésticas o en el cumplimiento de sus obligaciones diarias, como ordenar su habitación, ropa, limpiar sus zapatos, etc. con tiempo dedicado al juego en familia o con sus amigos.

Ejemplos de juguetes para esta edad:
- Caleidoscopios.
- Peonzas de cuerda y de palo.
- Bicicletas.
- Monopatines.
- Patines y patinetes de dos ruedas.

- Diábolo, platos chinos, pelotas y mazas de malabares.
- Yoyós profesionales.
- «La Yenca»: juego de apilar maderitas y extraer dos cada turno sin que se caiga la torre.
- Cometas de doble mando.
- Zancos de madera.
- Muñecos articulados y accesorios.
- Muñecos maniquí adolescentes.
- Vehículos teledirigidos: coches, motos, camiones.
- Pistas de Scalextric.
- Trenes eléctricos
- Karaokes.
- Maquillajes.
- Disfraces.
- Puzzles y mosaicos de hasta 500 piezas aproximadamente, de piezas pequeñas.
- Construcciones de madera, plástico o magnéticas que inviten a hacer reproducciones exactas con todo lujo de detalles, para encajar o enroscar.
- Juegos de creación artística: abalorios, perfumes, alfarería, estampación, telares, papiroflexia, etc.

143

- Montajes mecánicos, eléctricos.
- Aeromodelismo y modelismo naval de iniciación.
- Experimentos científicos sencillos.
- Rompecabezas.
- Juegos de cartas: españolas, francesa y otras que no sean motivo de engaño o mentira.
- Juegos clásicos: damas, parchís, dominós, tres en raya, etc.
- Juegos de magia.
- Concursos.
- Juegos de memoria: «La patata caliente», «Trivial Pursuit», «Scatergories», etc.
- Juegos de azar.
- Juegos de deducción.
- Juegos de estrategia de tipo *Abalone,* ajedrez, *Awelé,* etc.
- Juegos electrónicos o de tablero de preguntas y respuestas.
- Juegos de mesa de habilidad de tipo palillos chinos, canicas, etc.
- Juegos matemáticos.
- Juegos de vocabulario y lenguaje.
- Juegos de cartas coleccionables.
- Juegos de rol de iniciación.

- Ordenadores infantiles con juegos de habilidades motrices, preguntas y respuestas sobre vocabulario y lenguaje, operaciones matemáticas, conocimientos, etc.
- Futbolines, ping-pong y billares.
- Bolos, petanca, Bádminton, etc.
- Pinturas y caballetes.
- Peluches.
- Maquetas de madera, ladrillos, etc.

Juguetes para edades comprendidas de 12 años en adelante

Empieza la etapa de las operaciones formales. El **pensamiento formal** se caracteriza por reflexionar de forma sistemática, sobre otros razonamientos, en considerar todas las relaciones posibles que puedan existir, y analizarlas para eliminar lo falso y llegar a lo verdadero. Pero el razonamiento se aplica más a los enunciados que explican estas operaciones, que a las realidades concretas que estas describen, y este mecanismo es válido para todo tipo de problemas.

De esta forma, el adolescente puede integrar lo que ha aprendido en el pasado, considerar a la vez su vida actual, y sus proyectos de futuro. El interés por esta nueva forma de razonamiento le conduce a preocuparse por cuestiones abstractas, construir teorías, a interesarse por doctrinas complejas, a inventar modelos sociales nuevos, y acercarse a la metafísica y la filosofía, hasta entonces inéditas para él.

Gracias al pensamiento formal, el adolescente se interesa por los juegos de reglas complejas, no simples consignas como anteriormente. La complejidad de estas reglas depende en mayor medida de la acción, de estrategias elaboradas, de montajes técnicos o mecánicos precisos y minuciosos que llevan planos, cálculos, reproducciones a escala, maquetas elaboradas, y los juegos sensoriales y motores de tipo deportivo. El adolescente puede, en cualquier momento, volver hacia atrás y retomar actividades lúdicas de niveles anteriores, pero en general, su modo de pensamiento y las actividades lúdicas conquistadas ya no sufrirán modificaciones cualitativas adicionales, y le servirán, si están bien integradas, para toda la vida.

Se trata de clasificar, seriar, nombrar, medir, colocar o desplazar con un sistema de coordenadas espacio/tiempo. En este sentido, **el coleccionismo** es una actividad lúdica que satisface plenamente las necesidades e inquietudes del preadolescente.

Es la etapa de la pubertad, y comenzarán a sentirse inseguros, sobre todo, en cuanto a su aspecto físico se refiere. Les gustará llevarnos la contraria a los adultos, en su afán de independencia. Los «amiguetes» toman una relevancia considerable. Existe una separación natural de sexos, incluso rechazo mutuo.

Les gusta **el teatro**, el mimo, la expresión corporal y gestual, juegos sensoriales y motores de tipo deportivo, que conllevan reglamentos y roles colectivos complementarios.

A esta edad el juego es un importante medio de relación y comunicación entre los chicos y chicas. **Los juegos de reglas** son los que ocupan un papel más destacado, combinados con diversos recursos acordes con sus capacidades físicas y psíquicas. Así, la estrategia y la imaginación de los **juegos de rol y simulación**, los juegos **deportivos y de equipo**, los **de estrategia tradicionales** o los **de construcción** (juegos de maquetación complejos, modelismo) son los que tienen mayor capacidad para divertir y enriquecer sus momentos de ocio compartido con otros compañeros y compañeras.

147

En este período prepuberal y/o adolescente, los juegos predominantes son los de **ejercitación y deportivos**, los cuales desarrollan, al mismo tiempo, el carácter infantil y el adulto del deporte. Los juegos pre-deportivos precisan una estructura y un reglamento, y fomentan, como juegos cooperativos, valores como:

— Respeto al grupo.
— Compañerismo.
— Solidaridad.
— Factor de integración social.
— Acatamiento de las normas, obediencia, acatamiento de normas comunes a todos.
— Afán de superación personal y sacrificio.
— Autoestima y autoconfianza.
— Autoexigencia.
— Constancia.
— Sentido de justicia.
— Sinceridad, comprensión y exigencia.
— Fuerza de voluntad.
— Ocupación-afición y disfrute.
— Relajación mental o válvula de escape contra el estrés y la ansiedad.
— Agilidad y rapidez de reflejos.

Ya han adquirido todas sus destrezas psicomotoras, y es hora de ampliar conocimientos. Disfrutarán con el mundo de la informática y de Internet, y los múltiples juegos *on-line* que allí pueden encontrar. Los juegos en sí no constituyen un riesgo, siempre y cuando, como ya hemos apuntado anteriormente, se filtren preventivamente los contenidos a los que accedan, y se controle el tiempo que a ellos dedican.

El bricolaje, las maquetas, la electrónica, las manualidades, la costura, el punto de cruz, son actividades relajantes y aficiones que trabajan la paciencia y la constancia, la imaginación y la destreza manual.

Ahora no nos dejarán elegir sus juguetes... ¡nos los impondrán! Hasta el momento, han tenido la oportunidad de conocer muchos recursos lúdicos que han ocupado y enriquecido su tiempo libre; ahora, en función de sus intereses y de los de su círculo de amigos y amigas dedican su tiempo libre a juegos cada vez más complejos. Es importante que los adultos nos esforcemos por compartir y conocer sus juegos, para no alejarnos del entorno que les interesa y, por supuesto, de ellos, nuestros hijos.

149

Fichas de juegos

Un centenar de formas de jugar

Nº 1, JUEGO: AHORCADO
Edades: 9 años en adelante.
Participantes: 2.
Lugar de Juego: Interiores.
Habilidades, Capacidades y Valores que Potencia: Desarrollo de lógica verbal y del vocabulario, análisis de palabras, composición e indagación de significados.
Descripción: Descubrir una palabra de longitud definida mediante el hallazgo de las letras que la componen.
Material Necesario: Papel y lápiz.
Reglas y Desarrollo: Uno de los dos jugadores

piensa una palabra de 6 letras, y dibuja en una
hoja 6 pequeñas rayas, que representan a las letras de la palabra a descubrir. Dibuja también una
pequeña horca.

El jugador contrario intentará descubrir la palabra escondida, y para ello preguntará si dicha palabra contiene una letra concreta del alfabeto. Si
la contiene, el jugador que pensó la palabra, escri-
birá la letra sobre todos los guiones correspondientes a la misma.

Si por el contrario, esa letra no está en la palabra a adivinar, dibujará en la horca una parte del
ahorcado, por este orden: cabeza, tronco, brazo
derecho, brazo izquierdo, pierna derecha, pierna
izquierda (6 partes).

El juego consiste en adivinar la palabra antes de
ser ahorcado completamente, es decir, no se pueden cometer más de 5 fallos.

Variantes:
— Aumentar o reducir la longitud de la palabra
   a buscar, así como el número de fallos permitidos.
— Ahorcado temático. Es decir, las palabras deberán tener algo en común: colores, animales, plantas, minerales, etc.

Nº 2, JUEGO: AJEDREZ

Edades: 5 años en adelante.

Participantes: 2.

Lugar de Juego: Interiores.

Habilidades, Capacidades y Valores que Potencia: Inteligencia, estrategia, planificación, pensamiento matemático, educa el carácter y facilita la capacidad de autocrítica, memoria, concentración, visión espacial, creatividad, imaginación, tenacidad, constancia, decisión, atención, autodominio, trabajo en silencio.

Descripción: Este juego-ciencia se practica entre dos personas, cada una de las cuales dispone de 16 piezas movibles que se colocan sobre un tablero dividido en 64 escaques. Estas piezas son un rey, una reina, dos alfiles, dos caballos, dos roques o torres y ocho peones; las de un jugador se distinguen por su color de las del otro, y no marchan de igual modo las de diferente clase. Gana quien da jaque mate al adversario.

Material Necesario: Un tablero de ajedrez y las piezas correspondientes.

Reglas y Desarrollo: Las propias del juego.

Nº 3, JUEGO: ALQUERQUE

Edades: 5 años en adelante.

MARÍA ISABEL JIMÉNEZ DOMECQ

Participantes: 2.

Lugar de Juego: Interiores.

Habilidades, Capacidades y Valores que Potencia: Estrategia, pensamiento matemático, anticipación, simulación, conteo, construcciones geométricas, tipo de líneas, clasificación de figuras geométricas.

Descripción: Cada jugador cuenta con 12 piezas, negras o blancas. El objetivo del juego es capturar las piezas del oponente. Se puede mover una pieza por turno a través de las rayas a posiciones adyacentes vacías en cualquier dirección.

Material Necesario: Tablero especial de 5 puntos por 5 puntos con líneas entre ellos para indicar los movimientos permitidos. Se juega con 12 fichas negras y 12 fichas blancas.

Reglas y Desarrollo: Las piezas se capturan saltando una por encima de otra; además se pueden encadenar diversas capturas. El ganador será el primero que consiga todas las piezas de su oponente. Se colocan las fichas en la posición inicial, según tablero. Los jugadores alternativamente mueven una ficha a una casilla vacía adyacente, siguiendo las líneas en cualquier dirección, o saltan sobre una ficha contraria a un lugar vacío situado al otro lado, capturando esa ficha. Se puede comer varias fichas seguidas dando saltos en un solo movimiento.

Es obligatorio comer las fichas contrarias. Si no se come, la ficha del jugador que no ha comido se retira del tablero.

Nº 4, JUEGO: ARRANCA CEBOLLAS

Edades: A partir de 3 años.

Participantes: 5 en adelante.

Lugar de Juego: Espacios abiertos.

Habilidades, Capacidades y Valores que Potencia: Fomentar la confianza en el grupo.

Descripción: Se sientan los niños en el suelo y en fila muy próximos entre ellos y cogiéndose por la cintura muy fuerte. Uno se sitúa de pie enfrente del primero de la fila cogiéndole las manos, este será el payes y el resto serán las cebollas.

Reglas y Desarrollo: El payes tratará de arrancar a la primera cebolla del grupo. Si lo consigue esta se unirá a él para arrancar a las demás. Al final quedará una sola cebolla y una fila de payeses.

Nº 5, JUEGO: BACKGAMMON

Edades: A partir de 8 años.

Participantes: 2.

MARÍA ISABEL JIMÉNEZ DOMECQ

Lugar de Juego: Interiores.

Habilidades, Capacidades y Valores que Potencia: Estrategia, inteligencia, planificación, concentración, creatividad, imaginación, tenacidad, constancia.

Descripción: Cada jugador tira los dados y mueve 15 fichas en un tablero especial tratando de ser el primero en mover todas las fichas fuera del tablero.

Material Necesario: Un tablero de Backgammon y las fichas correspondientes.

Reglas y Desarrollo: Consultar el manual de instrucciones del propio juego.

Nº 6, JUEGO: BANDOS CONTRARIOS (CARA O CRUZ)

Edades: 8 a 12 años.

Participantes: De 10 en adelante.

Lugar de Juego: Espacios abiertos.

Habilidades, Capacidades y Valores que Potencia: Agilidad y reflejos.

Descripción: Participan dos equipos de 5 a 20 jugadores cada uno. Se divide el campo en dos partes mediante una línea central, donde se encuentra el árbitro. A unos 2 m y a ambos lados de dicha línea se colocan los equipos. Al fondo de cada equipo existe una línea que delimita su zona de defensa. Un equipo se le llama cara y el otro cruz.

Reglas y Desarrollo: El árbitro arroja una moneda al aire y al caer dará la voz de cara o cruz según la parte de la moneda que haya quedado hacia arriba. Si sale cara, el equipo correspondiente debe salir corriendo en dirección al equipo contrario, que tratará de refugiarse en su zona de defensa. Todos los cogidos antes de llegar al refugio quedarán presos en la zona de defensa del equipo cara. Si sale cruz, se realiza lo mismo, pero en sentido contrario. Con objeto de que los prisioneros de uno y otro bando no se queden inactivos se pueden hacer intercambios. Se determina antes la duración. Una vez terminado el tiempo gana el equipo que hizo más prisioneros.

Nº 7, JUEGO: BARQUITOS
Edades: 7 años en adelante.
Participantes: 2.
Lugar de Juego: Interiores.
Habilidades, Capacidades y Valores que Potencia: Concepción espacial, razonamiento, deducción, intuición, observación.

MARÍA ISABEL JIMÉNEZ DOMECQ

Descripción: El objetivo es hundir la flota del jugador contrario antes de que él hunda la nuestra.

Material Necesario: 2 hojas de papel cuadriculadas y dos lápices.

Reglas y Desarrollo: Cada jugador dibuja sobre su hoja dos cuadrados de 15 por 15 cuadraditos, en los que se numeran las filas del 1 al 15 y las columnas, de la «A» a «O». Uno de ellos representa su tablero y el otro el del jugador contrario.

Sobre nuestro tablero dibujamos los siguientes barcos:

— 1 Portaviones (5 cuadrados consecutivos).

— 2 Cruceros (4 cuadrados consecutivos).

— 4 Fragatas (3 cuadrados consecutivos).

— 4 Buscaminas (2 cuadrados consecutivos).

Los barcos dibujados no pueden tocarse entre sí.

El jugador que comienza, disparará 3 veces al tablero del contrario, indicando las coordenadas de tiro (p. ej.: A5). A cada tiro, el contrario responderá:

— «Agua»: Si en esa casilla no tenía ningún barco.

— «Tocado»: Si uno de sus barcos ha sido alcanzado.

— «Hundido»: Si el barco ha sido alcanzado en todos sus cuadraditos.

Una vez realizados los 3 tiros, el turno pasa al jugador contrario.

El juego termina cuando uno de los dos ha conseguido hundir la flota del otro.

Variantes: Puede aumentarse o disminuirse el tamaño de los tableros, así como el número y tipo de los barcos.

También puede permitirse que los barcos puedan tocarse.

Nº 8, JUEGO: BATALLA DE MULTIPLICACIONES

Edades: 9 a 15 años.

Participantes: 2.

Lugar de Juego: Interiores.

Habilidades, Capacidades y Valores que Potencia: Rapidez de cálculo, agilidad mental, concentración.

Descripción: Se juega con un mazo de cartas y dos jugadores. El que tenga dos cartas cuyo producto de los números sea mayor gana la baza, y la partida el que más cartas obtenga.

Material Necesario: Una baraja.

Reglas y Desarrollo: En cada mano, cada jugador tira dos cartas. El que consiga que el producto de sus dos cartas sea mayor, se lleva el resto de las cartas que hay en la mesa. Gana el participante que obtenga mayor cantidad de cartas al final de la partida.

Variantes: Aumentar el número de jugadores.

Nº 9, JUEGO: BATALLA NAVAL

Edades: 6 a 12 años.

Participantes: 6 a 20.

Lugar de Juego: Espacios abiertos.

Habilidades, Capacidades y Valores que Potencia: Orientación y colaboración.

Descripción: Se dividen los jugadores en dos equipos. Cada equipo forma una fila cuyos integrantes se hallan separados por un metro de distancia. Las dos filas serán paralelas y separadas por unos diez metros. Los jugadores no se pueden mover de sus lugares y miran a sus adversarios. Cada equipo tiene un jugador con los ojos vendados que hace las veces de proyectil.

Material Necesario: Dos pañuelos grandes para vendar los ojos.

Reglas y Desarrollo: A la señal, cada fila (el barco) dirige su proyectil hacia el enemigo tratando de averiarlo. Le va indicando el camino –o trayectoria– diciéndole «derecha» o «izquierda». El proyectil tiene que chocar con el cuerpo de alguno del barco contrario sin tantear con los brazos. Gana el barco que logra averiar al otro.

Nº 10, JUEGO: BINGO

Edades: A partir de 8 años.
Participantes: A partir de 4.
Lugar de Juego: Interiores.
Habilidades, Capacidades y Valores que Potencia: Observación, atención, concentración, rapidez de reflejos.
Descripción: Según va saliendo cada bola, hay que tachar los números que coincidan con los del cartón. El primero en descartar todos los números de una línea horizontal canta «línea». Cuando alguien tacha todos los números de su cartón hace «bingo» y se termina el juego.
Material Necesario: Un bombo con números del 1 al 99 y cartones para el juego.
Reglas y Desarrollo: Se van extrayendo bolas del bombo y «cantando» los números. Los jugadores los tachan en sus cartones. El primer jugador que haya completado una línea, canta «línea», que es un premio parcial. Se continúa el juego hasta que

un jugador complete los quince números de su cartón, y cante «bingo». Es el ganador del juego.

Nº 11, JUEGO: CADA CUAL CON SU MITAD
Edades: 8 años en adelante.
Participantes: 8 a 20.
Lugar de Juego: Interiores.
Habilidades, Capacidades y Valores que Potencia: Observación e ingenio.
Descripción: Se prepara de antemano el material a utilizar, teniendo en cuenta el número de participantes. Por ejemplo, si se usan figuras o cartulinas de colores, se habrán cortado en dos (o más) partes, en formas diversas. Se entrega un pedazo a los participantes de sexo femenino y el otro a los de sexo masculino.
Material Necesario: Avisos comerciales de los periódicos, o figuras, pedazos de papel o tela, cartulinas, etc.
Reglas y Desarrollo: Dada la voz de comienzo, cada jugador tendrá que buscar al compañero que tenga la otra mitad de su parte. Ganará la pareja que primero logre formar la figura. Para hacer el juego más entretenido, se podrán cortar las figuras en tres o cuatro pedazos.

Nº 12, JUEGO: CARRERAS

Edades: 6 años en adelante.

Participantes: 3 en adelante.

Lugar de Juego: Espacios abiertos.

Habilidades, Capacidades y Valores que Potencia: Habilidad, agilidad y coordinación.

Descripción: Las carreras, por ser en general un juego fácil, se adaptan a personas de todas las edades. Es importante que la edad y el físico de los jugadores sean más o menos parejos a fin de que todos puedan participar con mayor interés.

Reglas y Desarrollo: El animador adaptará la distancia a recorrer de acuerdo a la edad de los participantes, las características del terreno y el esfuerzo que exige cada carrera.

Variantes:

— Los jugadores se dividen en parejas. El más ligero de la pareja se monta sobre la espalda del otro jugador. A la señal corren hacia la meta preestablecida.

— Se dividen los jugadores en dos o más equipos, formados en columna detrás de la línea de partida. Frente a cada equipo se pondrán objetos de una altura tal que permita a los participantes saltarlos en un pie. Estarán separados por una distancia aproximada de un metro uno de otro.

— Dada la señal, el primero de cada equipo correrá en un pie, e irá saltando los objetos correspondientes a su equipo. Al llegar a la línea final dará vuelta y volverá saltando sobre el otro pie sobre los mismos obstáculos o pasando al costado, según se establezca. El equipo cuyo último integrante cruce primero la línea inicial será el vencedor.

— Carrera de carros: Los jugadores forman grupos de a cuatro. Dos jugadores están de pie uno aliado del otro, mirando a la meta y tomándose de los hombros. Otro se pone detrás, inclinado de manera que se abraza fuertemente a la cintura de los delanteros. El cuarto integrante del grupo es el conductor del carro y se sube sobre el que está inclinado sujetándose de los hombros de los «caballos». A la señal correrán hasta la meta tratando de que el carro no se desarme y el conductor no se caiga.

Nº 13, JUEGO: CONSTRUCCIONES

Edades: A partir de 3 años.

Participantes: A partir de 1 en adelante.

Lugar de Juego: Interiores.

Habilidades, Capacidades y Valores que Potencia: Fomentan la imaginación, la habilidad, la coordinación, la creatividad, la constancia y la paciencia.

Descripción: Construir algo: una casa, un muro, un objeto, etc. Con los materiales de que se disponga.

Material Necesario: Tablitas de madera, cubos apilables, construcciones de plástico, naipes, ladrillos, etc.

Reglas y Desarrollo: En función del material de que se disponga, decidir lo que vamos a construir y cómo realizarlo. En caso de ser más de un jugador, cooperar en el proyecto, repartiendo tareas: buscar las piezas necesarias, construir cada uno una parte, etc.

Nº 14, JUEGO: CONSTRUIR UNA HISTORIA

Edades: 10 a 14 años.

Participantes: 6 a 20.

Lugar de Juego: Cualquiera.

Habilidades, Capacidades y Valores que Potencia: Ingenio, memoria, imaginación, rapidez mental.

Descripción: Construir una historia entre todos.

Reglas y Desarrollo: El animador dice una palabra y, en ronda, los jugadores deben ir agregando cada uno una palabra formando una frase. Al que le toca el turno debe repetir –recordando– toda la frase y agregar una palabra al final. El que no recuerda la frase o no se le ocurre la palabra rápidamente, pierde.

Nº 15, JUEGO: CUBO DE RUBIK

Edades: A partir de 10 años.

Participantes: 1.

Lugar de Juego: Interiores.

Habilidades, Capacidades y Valores que Potencia: Inteligencia, habilidad manual, concepción espacial, análisis de objetos tridimensionales.

Descripción: Se trata de resolver el rompecabezas conocido como «El cubo de Rubik».

Material Necesario: Un cubo de Rubik.

Reglas y Desarrollo: Conseguir ordenar los 26 subcubos que forman el cubo de Rubik de tal forma que cada cara quede de un único color.

Nº 16, JUEGO: CUERDA VELOZ

Edades: A partir de los 7 años.

Participantes: 5 en adelante.

Lugar de Juego: Espacios abiertos.

Habilidades, Capacidades y Valores que Potencia: Habilidad, rapidez de reflejos, agilidad, coordinación.

Descripción: Se hace un círculo y en el centro se pone un jugador con una cuerda.

Material Necesario: Una cuerda de 1,5 m.

Reglas y Desarrollo: El jugador del centro sostiene la cuerda con una mano, que debe tener un nudo en su extremo opuesto, y después la hace girar sobre el suelo; los demás jugadores deberán saltar la cuerda cuando pase por su sitio y si los toca la cuerda son eliminados. A cada vuelta el jugador del centro anuncia la altura de la cuerda diciendo «suelo», si va a ras del suelo, «medio» si gira a la altura de las pantorrillas, y si lo hace a la altura de las rodillas dirá «alto».

Nº 17, JUEGO: DAMAS

Edades: A partir de 6 años.

Participantes: 2.

Lugar de Juego: Interiores.

Habilidades, Capacidades y Valores que Potencia: Estrategia y lógica, inteligencia general, planificación de la tarea, hipótesis, anticipación, organización, defensa y ataque. Concepción espacial.

Material Necesario: Un tablero de ajedrez o damas y las fichas correspondientes para jugar.

Reglas y Desarrollo: Las propias del juego.

Nº 18, JUEGO: DIBUJAR EL PERRO O EL GATO

Edades: 8 años en adelante.

Participantes: 4 a 20.

Lugar de Juego: Interiores.

Habilidades, Capacidades y Valores que Potencia: Entretenimiento y expresión pictórica.

Descripción: Los jugadores se colocarán alrededor de una mesa, cada uno con una hoja de papel y un lápiz. Se trata de ver quién completa primero el dibujo de un perro o de un gato. Cada parte del animal tendrá un número. Por ejemplo: 1: la cabeza; 2: las orejas; 3: el cuerpo; 4: las patas, etc. Se jugará con un dado.

Material Necesario: Papel, lápiz y dados.

Reglas y Desarrollo: A la señal se comenzará lanzando los dados (por turno). Cada jugador comenzará a dibujar cuando salga el número tres, o sea, el cuerpo, y en cada tirada se irá agregando las partes correspondientes al número que aparezca. Se deberán dibujar tantos cuerpos como veces salga el número tres; ganará el que termine primero en completar un animal.

Nº 19, JUEGO: DILO CON MÍMICA

Edades: A partir de 9 años.

Participantes: 4, 6, 8.

Lugar de Juego: Cualquiera.

Habilidades, Capacidades y Valores que Potencia: Vencer la timidez, sociabilidad, expresión corporal, capacidad de relación de conceptos y significados, capacidad e atención y observación.

Descripción: El juego consiste en que cada grupo debe adivinar una palabra que un compañero trata de insinuarles haciendo mímica o gestos.

Material Necesario: Papel y bolígrafo.

Reglas y Desarrollo: Para jugar se necesitan tarjetas con palabras relacionadas a un tema y dos grupos de jugadores. Gana el juego el grupo que haya adivinado mayor cantidad de palabras.

Variantes:

— Decir con mímica las señales de tráfico.

169

— Identificar con mímica nombres de animales, plantas, etc.

— Expresar con mímica sustantivos y adjetivos: Primero deberán adivinar un sustantivo y luego varios adjetivos relacionados al sustantivo.

— Personajes famoso o históricos.

— Títulos de películas o libros.

Nº 20, JUEGO: DOMINÓS DIFERENTES

Edades: A partir de 5 años.

Participantes: 3 a 6.

Lugar de Juego: Interiores.

Habilidades, Capacidades y Valores que Potencia: Observación, concentración, inteligencia, deducción, estrategia.

Descripción: Realizar una secuencia de fichas, de tal forma que coincidan o estén asociados los extremos de las fichas que se tocan. Gana el jugador que menos fichas tenga al terminar el juego.

Material Necesario: Uno o varios dominós.

Reglas y Desarrollo: Los participantes deberán tirar por turno un dado para establecer, a través del número más alto, el jugador que comienza el juego.

Luego tendrán que repartir las fichas a cada jugador ubicándolas sin que las vean los otros jugadores.

Colocar una ficha sobre la mesa. Los demás participantes deberán seguir el juego ubicando una ficha cuya palabra o dibujo coincida con uno de los extremos de las que están en la mesa.

El jugador que no pueda colocar ninguna ficha, para seguir el orden, dirá «paso» y continuará el que sigue en turno.

Gana el participante que se queda sin fichas en primer lugar.

Variantes:

— Dominó de las operaciones matemáticas: Las fichas deberán tener cuentas (apropiadas al nivel) y los respectivos resultados en diferentes fichas.

— Dominó de las fracciones: En los diferentes espacios de las fichas deberán aparecer fracciones, representaciones gráficas de las fracciones y cómo se leen esas fracciones.

— Dominó de las provincias: Tendrá que contener en los distintos sectores de las fichas nombres de las provincias, las siluetas de las provincias, preguntas y respuestas sobre las provincias.

171

— Dominó de los alimentos: En las fichas habrá comidas dibujadas o fotos de ellas y los nombres escritos de las mismas.

— Dominó de las señales de tránsito: Las fichas deberán contar, por un lado, con los dibujos de las señales de tránsito y, por otro, con el significado de cada una de las señales en forma alternada.

— Dominó de los números: Las fichas tendrán distintos dibujos (conjuntos con diferentes cantidades) y los números. Otra variante podría ser colocar en las fichas los números y cómo se leen.

Nº 21, JUEGO: EL ANILLO

Edades: A partir de los 5 años.

Participantes: Más de 5.

Lugar de Juego: Espacios abiertos.

Habilidades, Capacidades y Valores que Potencia: Observación, sociabilidad, destreza manual, autocontrol.

Descripción: Se coge un anillo y se enhebra en la cuerda que utilizaremos para realizar el juego. Una vez pasado el anillo, se anudan los dos extremos de la cuerda formando un círculo lo suficientemente grande para que todos los participantes puedan cogerla cómodamente con las dos manos.

Material Necesario: Una cuerda y un anillo.

Reglas y Desarrollo: Se sortea quién será el jugador que se pondrá en el centro del círculo. Una vez escogido, este ocupa su lugar y se tapa los ojos mientras los demás deslizan el anillo por la cuerda. Después de deslizar el anillo y dejándolo oculto en la mano de uno de los jugadores, se avisa al compañero del centro para que abra los ojos. El jugador del centro intentará adivinar quién oculta el anillo. Cuando dice «¡A pasarlo!», todos hacen movimientos como si lo estuviesen pasando de mano en mano contando hasta tres al compás. Este jugador puede ordenar que se pase el anillo un máximo de 3 veces mientras vigila para ver quién lo tiene en ese momento. En cada pase, podrá intentar adivinar una vez quién tiene el anillo.

Nº 22, JUEGO: EL BOTE

Edades: A partir de 7 años.

Participantes: A partir de 6.

Lugar de Juego: Espacios abiertos.

Habilidades, Capacidades y Valores que Potencia: Habilidad, agilidad, coordinación, observación.

Descripción: Para jugar al bote hay que trazar un círculo grande en el suelo. En el centro se pone el «bote» que será una lata o algo similar.

Material Necesario: Bote o lata de refrescos.

Reglas y Desarrollo: El que la liga se coloca dentro del círculo; los demás alrededor. Uno cualquiera pega un patadón lo más fuerte que puede y todos corren a esconderse, mientras el que le toca va por la lata y la vuelve a poner en el círculo. Una vez hecho empieza a buscar a los demás. Si ve a alguno, los dos corren a ver quién llega primero al bote. Si primero llega el que la liga, dice el nombre del que ha visto, si es el otro debe darle una patada, y el que la liga debe colocar el bote en el círculo y comenzar a contar. Así hasta que pille a todos.

Nº 23, JUEGO: EL CAZADOR CIEGO

Edades: De 5 a 11 años.

Participantes: A partir de 10.

Lugar de Juego: Espacios abiertos.

Habilidades, Capacidades y Valores que Potencia: Concentración, rapidez de reflejos, oído, agilidad.

Descripción: Manipular con habilidad pelotas en situaciones de movimiento, sentados en círculo con uno o dos jugadores en el centro y con ojos vendados.

Material Necesario: 1, 2 ó 3 pelotas.

Reglas y Desarrollo: El juego se desarrolla cuando los jugadores sentados en círculo comienzan a pasarse rodando las pelotas que intervengan en el juego. Los cazadores «ciegos» intentarán atrapar las pelotas, cuando lo consigan cambio de rol.

Nº 24, JUEGO: EL CORTA HILOS

Edades: A partir de 6 años.

Participantes: A partir de 7.

Lugar de Juego: Espacios abiertos.

Habilidades, Capacidades y Valores que Potencia: Habilidad, rapidez de reflejos, agilidad, coordinación.

Descripción: Juego de persecución.

Reglas y Desarrollo: Uno del grupo pilla. Cuando corra detrás de alguien tiene que decir su nombre; si mientras está corriendo alguien se cruza entre los dos (el que pilla y al que lo intentan pillar), el que pilla ha de cambiar de objetivo e intentar pillar al que se ha cruzado. Si pilla a alguien, será ese el que pille entonces.

Nº 25, JUEGO: EL DIBUJO CIEGO

Edades: A partir de 5 años.

Participantes: 6 en adelante.

Lugar de Juego: Interiores.

Habilidades, Capacidades y Valores que Potencia: Imaginación, creatividad, concepción espacial.

Descripción: Entretenimiento para días de lluvia. Los participantes deben realizar un dibujo con los ojos tapados.

Material Necesario: Bolígrafos o lápices, hojas de papel y cintas para tapar los ojos.

Reglas y Desarrollo: A cada uno de los participantes se le comunica, en voz baja, lo que deben dibujar en el papel. Una vez que terminen, el resto que ha estado observando, debe intentar adivinar lo que se ha dibujado.

Nº 26, JUEGO: EL DICCIONARIO

Edades: A partir de 12 años.

Participantes: 4 en adelante.

Lugar de Juego: Interiores.

Habilidades, Capacidades y Valores que Potencia: Imaginación, dominio del lenguaje.

Descripción: Adivinar el significado real de las palabras y tener imaginación para inventar otros posibles.

Material Necesario: Un diccionario, hojas de papel y lápices.

Reglas y Desarrollo: El moderador, utilizando un diccionario, buscará una palabra poco común, y la dirá en voz alta a los jugadores, los cuales inventarán posibles definiciones de la misma, de tal forma que parezcan definiciones reales. Las entregarán al moderador, el cual habrá escrito el significado real en otra hoja de papel.

Una vez entregadas todas las definiciones, juntará las inventadas y la real, las barajará y procederá a leerlas. Los jugadores votarán, por orden, la que crean que es la real.

Se anotan un punto los jugadores que hayan acertado, y otro los jugadores cuyas definiciones inventadas hayan sido votadas.

Nº 27, JUEGO: EL DISTRAÍDO
Edades: 6 a 12 años.
Participantes: 5 a 20.

MARÍA ISABEL JIMÉNEZ DOMECQ

Lugar de Juego: Espacios abiertos.

Habilidades, Capacidades y Valores que Potencia: Atención y agilidad.

Descripción: Los jugadores forman un círculo mirando al centro, y deben pasarse la pelota sin dejarla caer.

Material Necesario: Una pelota.

Reglas y Desarrollo: Los jugadores forman un círculo, un jugador tiene la pelota en sus manos.

A la señal, el jugador que tiene la pelota la pasa a otro de la ronda y este, a su vez, la lanzará a otro procurando encontrarlo distraído. Todo el que deja caer la pelota saldrá del juego por distraído. Ganan los dos últimos que queden en la ronda.

Es importante que los jugadores pasen la pelota en forma correcta. De lo contrario, sale el que la lanzó mal.

Variantes: El animador se coloca en el centro de la ronda y la va lanzando a los jugadores en cualquier orden. Todo participante que recibe la pelota debe devolverla inmediatamente al animador. Quien la deje caer saldrá del juego.

Nº 28, JUEGO: EL ESCUADRÓN

Edades: A partir de los 10 años.

Participantes: Varios grupos de entre 2 y 5 personas cada uno.

Lugar de Juego: Interiores.

Habilidades, Capacidades y Valores que Potencia: La creatividad, el trabajo en equipo y la comunicación.

Descripción: Cada equipo debe hacer una nave voladora usando dos hojas de papel (de tamaño A4) y tiene que hacer que vuele y atraviese una distancia de 5 metros y debe atravesar un aro de 50 cm. de diámetro. Tienen tres intentos para lograr su cometido.

Material Necesario: Hojas de papel tamaño A4. Un aro de cincuenta centímetros de diámetro.

Reglas y Desarrollo: Se forman los grupos (2 a 5 personas). Se les entrega los papeles. Se les imparte la consigna. Advertir sobre la solicitud de una hoja adicional (Adultos).

El grupo concluye la prueba cuando logra que su nave vuele y atraviese el aro (tiene hasta 3 intentos).

Los intentos de cada grupo no pueden ser consecutivos (a fin de fomentar la participación de todos).

El juego termina una vez que todos los grupos han cumplido la prueba.

Variantes: Variante para adultos (Negociación): Si malogran alguna hoja de papel se les entrega otra nueva, pero además una hoja adicional, la cual necesariamente debe incluirla en su diseño (Es el costo por malograr una hoja).

Nº 29, JUEGO: EL ESPEJO

Edades: A partir de 6 años.

Participantes: 4 en adelante.

Lugar de Juego: Cualquiera.

Habilidades, Capacidades y Valores que Potencia: Percibir la imagen que damos a los demás. Conocimiento del esquema y de la imagen corporal interna y externa.

Descripción: Consiste en imitar las acciones del compañero/a.

Reglas y Desarrollo: Por parejas, desde la posición de sentados uno dirige y el otro hace de espejo, primero a nivel facial, después también con el tronco y los brazos. Luego desde de pie con todo el cuerpo. Cambiar de papeles.

Variantes: Hacerlo a distancia.

Nº 30, JUEGO: EL GUSANO

Edades: A partir de los 9 años.

Participantes: 4 a 10.

Lugar de Juego: Cualquiera.

Habilidades, Capacidades y Valores que Potencia: Sociabilidad, equilibrio, coordinación de movimientos, trabajo en equipo.

Descripción: Se colocan todos los jugadores sentados en el suelo formando una fila en la que cada participante esté sentado entre las piernas del de atrás. Todos se aprietan para formar un grupo lo más compacto posible

Reglas y Desarrollo: Cada participante coge al de delante cruzando las piernas alrededor de su cintura. A continuación, siguiendo las órdenes del primero de la fila, el grupo se inclina de izquierda a derecha hasta que coge suficiente impulso para dar la vuelta y quedar todos sobre las manos excepto el último que es el único que utiliza los pies. En esta posición se avanza poco a poco utilizando las manos hasta que se deshace el gusano.

Nº 31, JUEGO: EL LAZARILLO

Edades: A partir de 5 años.

Participantes: Tiene que ser un número par porque deben ser parejas.

Lugar de Juego: Espacios abiertos.

MARÍA ISABEL JIMÉNEZ DOMECQ

Habilidades, Capacidades y Valores que Potencia: Que los niños se integren, que sepan que sus compañeros confían tanto en ellos que se arriesgan a que los dirijan, que generen comunicación no solo oral, porque lógicamente no pueden permanecer en silencio aunque se les diga en las instrucciones, que se imaginen lo que es ser invidente y de ese modo comprendan a personas con capacidades diferentes.

Descripción: Es un juego de confianza donde un lazarillo debe llevar a un invidente a un lugar previamente establecido. El lazarillo no debe quitarse la venda hasta que llegue de regreso con el material o papelillo, o hasta que llegue a su asiento, el que le guía ha de procurar estar en silencio y evitar que caiga su invidente en ningún momento.

Material Necesario: Puede hacerse dentro o fuera del salón, necesitamos las vendas o mascadas o velillos para cubrir los ojos y el material a traer de regreso o los papelillos que comprueben que se llegó a la meta o lugar establecido.

Reglas y Desarrollo: En un grupo de cualquier tamaño se aplica al separar a los integrantes por parejas, se vendan los ojos de uno de los participantes y el otro lo tiene que llevar a un lugar sin decir nada, el niño con los ojos vendados puede darle la mano a su lazarillo o solo ponerla sobre su hombro, como desee, así que solo presionando el brazo o llevándole de la mano lo puede guiar, de preferencia que sea fuera del aula hacia ella o a la dirección, se puede pedir que traigan algo para comprobar que llegaron al lugar, por ejemplo, un papelito o un material de un área del salón. Puede durar cuanto quiera el docente o hasta que se logre llegar a un lugar determinado donde se puede pedir que el lazarillo sea ahora el invidente.

Nº 32, JUEGO: EL LOBO Y LAS OVEJAS

Edades: A partir de 7 años.

Participantes: 5 en adelante.

Lugar de Juego: Espacios abiertos.

Habilidades, Capacidades y Valores que Potencia: Habilidades básicas. Desarrollar la velocidad y la percepción espacial. Deporte.

Descripción: Todos los participantes (menos uno), colocados en un extremo del terreno de juego, el que se la queda está en medio.

Reglas y Desarrollo: El terreno de juego debe estar perfectamente delimitado, sobre todo por los lados. El jugador colocado en el centro del terreno de juego es el «lobo», el resto son las «ovejas». El juego consiste en pasar de un extremo a otro del campo del juego sin que el lobo pille a las ovejas. El lobo sólo puede moverse lateralmente y un corto espacio hacia delante y hacia atrás (depende del espacio que tengamos). Cuando el lobo captura a una oveja, esta se convierte en lobo y se coge de la mano de quien la atrapó, y así sucesivamente. Los lobos SOLO pueden pillar si están todos cogidos de la mano; por consiguiente, solo pueden atrapar a las ovejas los lobos de los extremos. Cuando hay varios lobos, las ovejas pueden pasar por debajo de los brazos de los lobos.

Nº 33, JUEGO: EL PAÑUELO

Edades: A partir de 7 años.

Participantes: 6 en adelante.

Lugar de Juego: Espacios abiertos.

Habilidades, Capacidades y Valores que Potencia: Atención, rapidez de movimientos, agilidad, sociabilidad, espíritu de equipo.

Descripción: Conseguir el pañuelo del moderador sin ser alcanzado por el jugador contrario, y eliminar a todos los jugadores del equipo rival.

Material Necesario: Un pañuelo.

Reglas y Desarrollo: Se forman dos equipos cuyos miembros se alinean frente al bando contrario. En cada equipo, sus jugadores se asignan en secreto un número secuencial, comenzando por 1. El moderador, con el pañuelo en la mano en alto, se coloca en el centro del campo de juego, a igual distancia de cada equipo, y dice un número al azar.

El jugador de cada equipo, que tiene asignado ese número, debe intentar coger el pañuelo del moderador y llevarlo hacia su terreno de juego, pero sin ser alcanzado por el otro jugador. Los jugadores que están compitiendo no pueden tocarse hasta que uno de ellos tenga el pañuelo en su poder.

Si uno de los competidores consigue llegar a su terreno sin ser alcanzado, el otro jugador queda eliminado. Si por el contrario, es alcanzado, es él el eliminado.

Después de cada contienda, cada equipo distribuye de nuevo los números entre sus jugadores, pudiendo tener un jugador más de un número asignado, ya que cada equipo debe tener los mismos números en juego, independientemente de los jugadores que queden en liza.

Gana el equipo que consiga eliminar a todos los oponentes del equipo contrario.

Nº 34, JUEGO: EL REFUGIO DEL INDIO

Edades: 8 a 12 años.

Participantes: 8 en adelante.

Lugar de Juego: Espacios abiertos.

Habilidades, Capacidades y Valores que Potencia: Agilidad, habilidad, rapidez, coordinación de movimientos.

Descripción: Intentar atrapar a los jugadores que pasan de un extremo al otro de la zona de juego.

Reglas y Desarrollo: Se colocan tres jugadores en línea, hacia la mitad del terreno de juego, y los demás se ubican en uno de los extremos del mismo. A la señal deben pasar al otro extremo del terreno de juego sin dejarse atrapar por los tres indios. Los que son apresados pasan a formar parte de los indios y ayudan a apresar colonos, que siguen pasando alternativamente de un lado hacia el otro hasta que quede uno que es el ganador.

Nº 35, JUEGO: ENCUENTRA LAS DIFERENCIAS

Edades: A partir de 5 años.

Participantes: 1.

Lugar de Juego: Interiores.

Habilidades, Capacidades y Valores que Potencia: Atención, observación, inteligencia.

Descripción: Localizar las diferencias existentes entre dos dibujos casi idénticos.

Material Necesario: Dibujos iguales con 5 a 10 pequeñas diferencias entre ambos.

Reglas y Desarrollo: Encontrar las diferencias existentes en dos dibujos casi iguales y marcarlas con un lápiz.

Variantes: Hacerlo en un tiempo límite. Otra posibilidad es encontrar, en dos dibujos completamente diferentes, una serie de elementos comunes.

Nº 36, JUEGO: ENSALADA DE FRUTAS

Edades: A partir de 4 años.

Participantes: 7 en adelante.

Lugar de Juego: Espacios abiertos.

Habilidades, Capacidades y Valores que Potencia: La agilidad y la rapidez.

Descripción: Se trata de buscar un «aro» vacío cada vez que mencionen su fruta. El nombre de la fruta lo determina el moderador, así como las reglas de cómo respetar el lugar ya ganado por otro jugador y no empujar a sus compañeros.

187

MARÍA ISABEL JIMÉNEZ DOMECQ

Material Necesario: Aros.

Reglas y Desarrollo: Se acomodan los aros, tantos como participantes menos uno, en diferentes lugares de la cancha de manera que no queden muy juntos, cada jugador se para dentro de su aro, previamente el animador da el nombre de una fruta a cada jugador (deben ser 4 frutas, por ejemplo: piña, melón, sandía y fresa). Un jugador se queda sin aro en el centro de la cancha y él es el que dice: «quiero un cocktail de frutas de» (aquí menciona las frutas que él desee de las ya descritas y los jugadores que tengan el nombre de esa fruta deberán cambiar de aro, así como también el jugador que pidió el cocktail, deberá buscar un aro vacío, de esta manera siempre quedará un jugador sin aro y es el que pedirá un nuevo cocktail. También se puede pedir un cocktail de «tutifruti» en donde todos los jugadores se moverán de su lugar, buscando un aro diferente).

Variantes: Se puede poner otros nombres en lugar de frutas como por ejemplo: verduras, países, ciudades, transportes, colores y animales.

N° 37, JUEGO: ESPALDA CONTRA ESPALDA
Edades: A partir de 6 años.

Participantes: Parejas.

Lugar de Juego: Cualquiera.

Habilidades, Capacidades y Valores que Potencia: Cooperación.

Descripción: Los jugadores estarán repartidos por parejas y deberán estar de pie, espalda contra espalda.

Reglas y Desarrollo: A la señal deberán intentar sentarse en el suelo, pero sin dejarse caer, ya que podrían hacerse daño. Una vez en el suelo, deberán intentar levantarse.

Nº 38, JUEGO: GLOBOFLEXIA

Edades: A partir de 8 años.

Participantes: de 1 a 6.

Lugar de Juego: Cualquiera.

Habilidades, Capacidades y Valores que Potencia: Imaginación, habilidad manual, inteligencia.

Descripción: Realizar animales y objetos, utilizando exclusivamente globos hinchados.

Material Necesario: Globos alargados de colores y un hinchador.

Reglas y Desarrollo: Se hinchan los globos que se van a utilizar, principalmente alargados, y me-

189

diante retorcimientos y manipulaciones, crear figuras que representen objetos o animales.

Nº 39, JUEGO: GUA

Edades: Desde los 7 años.

Participantes: Mínimo dos y máximo nueve jugadores.

Lugar de Juego: Espacios abiertos.

Habilidades, Capacidades y Valores que Potencia: Mejorar la motricidad fina, puntería.

Descripción: Explanada de tierra y lisa, sin plantas ni piedras, y un hoyo en el suelo.

Material Necesario: Canicas.

Reglas y Desarrollo: La finalidad es meter la canica en un agujero pequeño hecho en el suelo. Las reglas son las mismas que en el triángulo, y el que consigue meter la canica en el agujero gana. Puede haber más de un ganador, si en un mismo turno meten varias canicas en el agujero.

Variantes: Cada jugador lanza su canica hacia el gua intentando quedar lo más cerca posible de él. Quien más se acerque es quien empieza el juego. Por turno, cada jugador coge su canica y desde donde esté, intenta lanzarla de forma que golpee a una del contrario. El objetivo del jugador es meter las canicas de los demás jugadores en el gua. Cuando un jugador consigue tocar una canica del contrario vuelve a tirar, pero nunca más de tres veces seguidas. El jugador que introduce de un empujón la canica del otro en el gua, gana la canica. Si cae la suya por accidente, es él quien la pierde.

Nº 40, JUEGO: GYMKHANA

Edades: A partir de 5 años.

Participantes: A partir de 6.

Lugar de Juego: Espacios abiertos.

Habilidades, Capacidades y Valores que Potencia: Intuición, trabajo en equipo, atención, agilidad, rapidez de comprensión, liderazgo, coordinación.

Descripción: Superar en equipo, una serie de pruebas en un recorrido o espacio establecido, en el menor tiempo posible y antes que el resto de los equipos participantes.

Material Necesario: Diverso, según las pruebas a superar.

Reglas y Desarrollo: Se organizan los jugadores en grupos homogéneos de 3 o más miembros, para que puedan competir con cierta igualdad. El mode-

191

rador preparará una serie de pruebas a superar, que pueden ser de muy variada índole, por ejemplo:

— encontrar una serie de objetos escondidos;
— carreras de: sacos, carreras llevando una cuchara con un huevo duro en la boca, etc.;
— adivinanzas;
— explotar un número concreto de globos sentándose sobre ellos;
— sacar manzanas con la boca de un barreño lleno de agua;
— etcétera.

Inicialmente se explicará la primera prueba a superar a todos los grupos de jugadores. Cuando un grupo logre superar una prueba, irá rápidamente al lugar donde se encuentra el moderador, para recibir instrucciones sobre la siguiente prueba a superar. Gana el equipo que antes supere todas las pruebas.

Variantes: Cuando un equipo haya completado una prueba, puede avisarse al resto de los grupos para que abandonen dicha prueba, ya que un equipo ha logrado superarla, y de este modo comiencen todos conjuntamente la siguiente. En este caso, gana la gymkhana el equipo que más pruebas haya superado.

Nº 41, JUEGO: HAZTE VISIBLE DIBUJO INVISIBLE

Edades: A partir de 4 años.

Participantes: A partir de 2 (por parejas).

Lugar de Juego: Interiores.

Habilidades, Capacidades y Valores que Potencia: Creatividad. Potenciar la imaginación y la creatividad.

Descripción: Completar un dibujo a partir de unas líneas trazadas al azar.

Material Necesario: Un bolígrafo y un papel.

Reglas y Desarrollo: Uno de los participantes dibuja a mano alzada y al azar una línea curva que termine donde ha empezado. La otra persona debe imaginar a qué se puede parecer ese contorno dibujado, y debe completarlo dibujando lo que le falte hasta demostrar que realmente se trata de aquello que había imaginado. No está permitido salirse del contorno o muy poco, en todo caso.

Nº 42, JUEGO: HILERA DE FICHAS DE DOMINÓ

Edades: 5 años en adelante.

Participantes: De 1 a 5.

Lugar de Juego: Interiores.

Habilidades, Capacidades y Valores que Potencia: Fomentan la imaginación, la habilidad, la

193

coordinación, la creatividad, la constancia y la paciencia.

Descripción: Realizar hileras, que representen dibujos o figuras, con fichas de dominó y derribarlas, empujando la primera ficha.

Material Necesario: Fichas de dominó.

Reglas y Desarrollo: Colocar fichas de dominó de pie, una a continuación de otra y a poca distancia, formando una larga hilera por el suelo, formando rectas, curvas o figuras.

Una vez terminado el dibujo, hay que empujar la primera ficha y conseguir que cada ficha empuje a la siguiente hasta que toda la hilera caiga.

Variantes: Utilizar tablitas, bolas, etc. para incorporarlos a la hilera y complicar el circuito a derribar.

Nº 43, JUEGO: JUEGO DE LAS PAREJAS

Edades: A partir de 8 años.

Participantes: A partir de 3.

Lugar de Juego: Interiores.

Habilidades, Capacidades y Valores que Potencia: Rapidez de cálculo, agilidad mental, concentración.

Descripción: El juego consiste en armar parejas con dos operaciones equivalentes, o una operación y su resultado.

Material Necesario: Barajas con operaciones aritméticas.

Reglas y Desarrollo: Se deberán armar mazos de cartas con operaciones sin resolver (pueden ser sumas, restas, multiplicaciones o divisiones, según sea conveniente) y los resultados, en diferentes cartas.

Un participante repartirá 10 cartas a cada uno de los jugadores, dará vuelta una carta sobre la mesa y dejará el mazo con las demás cartas al lado de la misma. Cada jugador, por turnos, deberá observar la carta que está dada vuelta sobre la mesa y tomarla si le sirve para armar una pareja, tirando otra de las que tiene en la mano; en caso de que la carta que está en la mesa no le sirva, tendrá que sacar una del mazo y tirar otra. Gana el participante que forme primero las 5 parejas.

Nº 44, JUEGO: JUEGO DE LOS RUIDOS

Edades: Hasta 8 años.

Participantes: A partir de 8.

Lugar de Juego: Cualquiera.

Habilidades, Capacidades y Valores que Potencia: Psicomotricidad. Jugar para volver a la calma, al mismo tiempo que se trabaja el desarrollo sensorial y la orientación espacial.

Descripción: Todos los niños sentados en círculo y uno en medio con los ojos tapados.

Reglas y Desarrollo: Se trata de que alguno de los niños de alrededor realice un ruido, bastante sonoro, y el niño del centro, acompañado por el animador, tiene que adivinar cuál de sus compañeros ha sido el ruidoso. Si lo adivina, cambian de rol, el ruidoso se pone en el centro y el otro en el círculo, y si no lo adivina, continúa en su puesto hasta que lo adivine, o el animador lo cambie por otro compañero para que participen todos.

Nº 45, JUEGO: JUEGOS DE CARTAS

Edades: A partir de 6 años.

Participantes: De 1 a 6, según el juego.

Lugar de Juego: Interiores.

Habilidades, Capacidades y Valores que Potencia: Estrategia, inteligencia, memoria visual, cálculo mental, sociabilidad (salvo en los solitarios).

Descripción: Conseguir ganar en una partida de cartas o solitario, según unas reglas establecidas en función del juego de que se trate.

Material Necesario: Barajas de naipes.

Reglas y **Desarrollo:** Las propias del juego elegido.

Variantes:

— Tute: 2 a 4 jugadores. Influencia del azar media. Complejidad media.

— Pocha: 4 a 5 jugadores. Influencia del azar media. Complejidad alta.

— Brisca: 2 a 4 jugadores. Influencia del azar media. Complejidad baja.

— Escoba: 2 a 4 jugadores. Influencia del azar media. Complejidad baja.

— Bridge: 4 jugadores. Influencia del azar baja. Complejidad alta.

— Remigio: 4 a 7 jugadores. Influencia del azar media. Complejidad baja.

— Etcétera.

Nº 46, JUEGO: JUEGOS DE PUNTERÍA

Edades: A partir de 4 años.

Participantes: A partir de 3.

Lugar de Juego: Espacios abiertos.

197

Habilidades, Capacidades y Valores que Potencia: Puntería, concentración, coordinación mano-ojo, cálculo de distancias.

Descripción: Conseguir acertar la mayor cantidad de tiros posibles, para conseguir un objetivo concreto: embocar, alcanzar o introducir un objeto que lanzamos.

Material Necesario: Pueden usarse distintos elementos para desarrollar el juego, como por ejemplo botellas y argollas, o cajas y pelotas, etcétera.

Reglas y Desarrollo: El juego consiste en que cada participante trate de embocar la mayor cantidad de argollas en el pico de las botellas, o la mayor cantidad de pelotas en cajas, o acertar a dar a un objeto concreto, etc. Gana el participante o grupo de participantes que mejor puntuación haya obtenido.

Variantes:

— Puntería con sumas: Cada botella o caja tendrá una puntuación diferente (acorde al nivel de los jugadores). Los participantes tendrán que ir sumando los puntos obtenidos en cada tiro para saber quién es el ganador.

— Puntería con sumas, restas y multiplicaciones: Cada participante, o grupo de participantes, tendrá una puntuación inicial (deberá ser acorde a la numeración que se esté trabajando en el aula) y cada una de las botellas o cajas tendrá una consigna diferente, como por ejemplo: multiplicar por 8, sumarle 235, restarle 13, etc. Gana el participante o grupo que obtenga una mayor puntuación.

N° 47, JUEGO: LA ADUANA

Edades: A partir de 8 años.

Participantes: A partir de 10.

Lugar de Juego: Espacios abiertos.

Habilidades, Capacidades y Valores que Potencia: Habilidad, agilidad, coordinación, estrategia, reflejos, intuición.

Descripción: Dividirse en dos equipos. Unos serán los «traficantes» y otros los «aduaneros». El terreno de juego se dividirá con una línea en dos zonas, la de los traficantes y la de los aduaneros.

Material Necesario: Una pieza pequeña.

Reglas y Desarrollo: Los traficantes deben pasar la Aduana, que será la línea divisoria entre las dos zonas. Los traficantes tienen que pasar un objeto que quepa en la mano, ese objeto solo lo podrá llevar uno de ellos y será el que tenga que pasar la Aduana y llegar hasta el final de la zona de los aduaneros. Los aduaneros tendrán que detenerles pillándoles (tocándoles), los pillados y sus correspondientes pilladores (aduaneros) se quedarán en el sitio donde han sido pillados. Los aduaneros lógicamente no saben quién de ellos lleva el contrabando.

Nº 48, JUEGO: LA BOMBA

Edades: A partir de los 4 años.

Participantes: A partir de 6.

Lugar de Juego: Cualquiera.

Habilidades, Capacidades y Valores que Potencia: Agilidad, coordinación.

Descripción: Se elige a un jugador para hacer de reloj de la bomba. El elegido se sienta con los ojos tapados y los demás participantes se colocan en círculo alrededor. Un jugador tendrá una pelota en las manos que será la bomba.

Material Necesario: Una pelota y una venda.

Reglas y Desarrollo: A la voz de «¡ya!», los jugadores van pasándose la pelota lo más rápidamente posible. Si el jugador-reloj dice «cambio de sentido», la pelota cambia de dirección de giro. El jugador-reloj cuenta hasta 30 al ritmo que quiera. Mientras dura la cuenta puede decidir «cambio de sentido» cuantas veces desee.

Nº 49, JUEGO: LA CADENA

Edades: Desde 7 años.
Participantes: De 5 en adelante.
Lugar de Juego: Espacios abiertos.
Habilidades, Capacidades y Valores que Potencia: Motricidad, sociablilidad, agilidad.
Descripción: Juego de persecución, en el que intervienen todos los jugadores.
Reglas y Desarrollo: Se marca una zona que será la casa del que se la queda, cuando el que se la queda lo decida, sale a pillar al resto de compañeros, cuando pille a uno se cogen de la mano, y siguen pillando al resto, cada vez que pillen a alguien se unen formando un «cadena». Si la «cadena» se soltase, todos los integrantes deben volver a la zona inicial marcada para volver a unirse. El juego finaliza cuando se pillen a todos.

Nº 50, JUEGO: LA GALLINA CIEGA

Edades: A partir de los 6 años.
Participantes: Más de 8.

MARÍA ISABEL JIMÉNEZ DOMECQ

Lugar de Juego: Espacios abiertos.

Habilidades, Capacidades y Valores que Potencia: Confianza, sociabilidad, concentración en los sentidos.

Descripción: Se elige a un jugador al que se le vendarán los ojos y será la gallina ciega. Los demás participantes formarán un corro alrededor agarrándose de las manos.

Material Necesario: Una venda para los ojos.

Reglas y Desarrollo: Todos los participantes se colocan en círculo cogidos de las manos menos la «gallinita ciega» que se encuentra en el centro y con los ojos tapados. Después de dar tres vueltas sobre sí misma deberá atrapar a cualquiera de los que forman el círculo. Estos pueden moverse, caminar y agacharse para evitarlo, pero sin soltarse de las manos. Cuando un jugador es atrapado, la gallina puede tocarle la cara para intentar reconocerlo. Si lo hace, se cambian los papeles: en caso contrario, deberá buscar a otro jugador.

Nº 51, JUEGO: LA GOMA ELÁSTICA

Edades: 6 a 10 años.

Participantes: 2 a 8.

Lugar de Juego: Espacios abiertos.

Habilidades, Capacidades y Valores que Potencia: Equilibrio, fortaleza física, sociabilidad, motricidad gruesa, agilidad.

Descripción: Saltar, de diferentes formas, una goma elástica tensada.

Material Necesario: Una goma elástica de unos 4 metros, con sus extremos unidos.

Reglas y Desarrollo: Dos o más participantes tensan la goma, pasándola por detrás de sus talones, pantorrillas o cintura, según el grado de dificultad del juego. Al son de canciones sencillas, intentan pisar o no pisar la goma, o pasarla por detrás de la pierna enrollándola, o pisar un lado de la goma y saltar al otro lado, etc.

El que falla se coloca en el turno de tensar la goma.

Variantes: En lugar de cantar canciones, es posible recitar las tablas de multiplicar a la vez que se salta.

Nº 52, JUEGO: LA PESCADILLA
Edades: De 6 a 12 años.
Participantes: A partir de 8.
Lugar de Juego: Espacios abiertos.

Habilidades, Capacidades y Valores que Potencia: Agilidad, velocidad de reacción.

Descripción: Los jugadores están repartidos por el terreno, formando una fila y agarrados por los hombros.

Reglas y Desarrollo: A la señal, el primero de la fila deberá intentar pillar al último de su fila, a la vez que el último intenta no ser pillado. Si esto ocurre el último pasa a la primera posición.

Nº 53, JUEGO: LA PETANCA

Edades: A partir de 5 años.

Participantes: De 3 a 8.

Lugar de Juego: Espacios abiertos.

Habilidades, Capacidades y Valores que Potencia: Habilidad, puntería, precisión y técnica.

Descripción: La Petanca es un juego muy tranquilo que requiere concentración y habilidad. Las reglas que tiene la asociación son reglas universales y como consiguiente las partidas van a 13 tantos.

Material Necesario: Una pequeña bola blanca de 25 a 30 mm de diámetro y de dos a cuatro bolas de acero o plástico de 600 a 800 gramos de peso, por cada jugador.

Reglas y Desarrollo: Se puede jugar tanto de forma individual como en parejas y aunque el número de jugadores puede ser ilimitado, es recomendable hacerlo con un número de ellos que den fluidez a la partida. Sin despreciar al resto, pueden establecerse competiciones de forma eliminatoria para llegar hasta un campeón o pareja campeona. Primero se lanza una bola hacia una línea marcada en el suelo para establecer el turno de salida, será primero quien más cerca se quede de ella. A continuación, el primero de todos lanza la bolita blanca desde un punto fijo detrás de la línea y a más de cinco metros de distancia. Después cada jugador, por riguroso turno, intentará colocar sus bolas lo más cerca posible de la blanca, o descolocar las de sus oponentes para así quedarse él más cerca.

Los lanzamientos pueden ser altos (por el aire) o bajos (rodados por el suelo).

Nº 54, JUEGO: LA RANA

Edades: A partir de los 8 años.
Participantes: 3 en adelante.
Lugar de Juego: Cualquiera.

MARÍA ISABEL JIMÉNEZ DOMECQ

Habilidades, Capacidades y Valores que Potencia: Habilidad, puntería, precisión y técnica.

Descripción: Se coloca en el suelo un vaso o cualquier otro recipiente pequeño. Cuanto más bajo y ancho sea, más fácil será el juego.

Material Necesario: Un vaso o cualquier recipiente, 4 fichas de colores diferentes por jugador y una ficha más grande para tirador.

Reglas y Desarrollo: Todos los jugadores colocan sus fichas a la misma distancia del vaso. Por turno, cada jugador intenta introducir una de sus fichas en el vaso. Para hacer saltar una ficha, se presiona al borde con el tirador, de manera que salga disparada. Si se consigue introducir una ficha, se vuelve a tirar; en caso contrario se pasa el turno. Las fichas que no entraron en el vaso serán lanzadas en el turno siguiente desde el lugar a donde hayan ido a parar. El ganador es el jugador que introduce primero todas sus fichas.

Nº 55, JUEGO: LA RATA
Edades: A partir de los 4 años.
Participantes: De 6 a 12.
Lugar de Juego: Cualquiera.

Habilidades, Capacidades y Valores que Potencia: Observación, sociabilidad, autocontrol.

Descripción: Un jugador se coloca en el centro de un corro formado por sus compañeros, que están de pie con las manos en la espalda.

Material Necesario: Una pequeña tablilla.

Reglas y Desarrollo: Uno de los participantes esconde a su espalda una pequeña tablilla de madera que es la rata. Cuando el jugador del centro no mira, se la van pasando de uno a otro. El jugador del centro debe descubrir quién esconde la rata: el que la tenga escondida puede rascarla para dar una pista con el ruido. Cuando el jugador descubre quién la tiene, se intercambian los papeles.

Nº 56, JUEGO: LA SILLA

Edades: De 3 a 10 años.

Participantes: A partir de 4.

Lugar de Juego: Cualquiera.

Habilidades, Capacidades y Valores que Potencia: Sociabilidad, rapidez de movimientos, atención, agilidad.

Descripción: Una ronda con sillas, o aros para cada participante.

Material Necesario: Sillas o aros.

Reglas y Desarrollo: Al comienzo de la música empezamos a bailar alrededor de la ronda de sillas o aros. Cuando esta finaliza, cada participante deberá sentarse (silla), o meterse (aro). Se van retirando las sillas o los aros y cada vez que se apague la música todos deberán sentarse, uno arriba de otro (silla), o ayudar a meterse y que no se caiga nadie (en el aro). En este juego nadie pierde, todos nos ayudamos y nos divertimos.

Nº 57, JUEGO: LAS COLAS DE LOS CABALLOS

Edades: 5 o 6 años.

Participantes: 3 en adelante.

Lugar de Juego: Espacios abiertos.

Habilidades, Capacidades y Valores que Potencia: Psicomotricidad gruesa, agilidad, fortaleza física y resistencia, sociabilidad.

Descripción: Juego de persecución.

Material Necesario: Un pañuelo por cada participante.

Reglas y Desarrollo: El monitor/a engancha un pañuelo a cada participante en la cintura del pantalón por la parte de atrás. Estos serán los caba-

208

llos. Habrá uno o dos jugadores que serán cazadores de colas de caballos. El caballo que se quede sin cola pasa a ser cazador, y así hasta que no queden más caballos.

Nº 58, JUEGO: LAS CUATRO ESQUINAS

Edades: A partir de 7 años.

Participantes: 5 en adelante.

Lugar de Juego: Cualquiera.

Habilidades, Capacidades y Valores que Potencia: Favorecer la comunicación del grupo y el desarrollo de la carrera y velocidad de reacción.

Descripción: Los que están en las esquinas intercambian posiciones y el del centro intenta ocupar alguna esquina libre.

Material Necesario: Cuatros esquinas o marcas que las simulen como árboles, rayas...

Reglas y Desarrollo: Comienza con uno en el centro. Durante el juego el que se queda sin esquina pasa al centro.

Variantes: El número de esquinas puede cambiarse según los jugadores existentes. El que está en el centro da un palmada y todos deben cambiar de esquina.

MARÍA ISABEL JIMÉNEZ DOMECQ

Nº 59, JUEGO: LAS LANCHAS

Edades: A partir de 4 años.

Participantes: A partir de 8.

Lugar de Juego: Cualquiera.

Habilidades, Capacidades y Valores que Potencia: Distenderse, sociabilidad, cohesionar al grupo, generosidad, pensar en los demás...

Descripción: Se trata de salvarse en grupos. Tratar de ayudar a los compañeros.

Material Necesario: Un periódico viejo.

Reglas y Desarrollo: Se tiran en el suelo, dispersas, hojas de papel periódico y al grupo se le dice que están en un barco que ha empezado a hundirse y que esas hojas de papel representan lanchas en el mar, que se van a salvar según la orden que se dé. La orden es la siguiente: «Las lanchas se salvan con 4...». Los participantes tienen que pararse en las hojas de papel de 4 en 4 participantes, las personas que no hayan encontrado lugar en las «lanchas» irán saliendo del juego. El número de salvados variará según la orden que dé el que dirige el juego.

Variantes: Las «lanchas» (hojas de papel) se pueden ir cortando a la mitad o en cuartos cada vez que se da una nueva orden, a manera de que quepan menos participantes en ellas.

N° 60, JUEGO: LAS MATRÍCULAS

Edades: 4-11 años.

Participantes: 1-4.

Lugar de Juego: Viajando en el coche.

Habilidades, Capacidades y Valores que Potencia: Rapidez de reflejos, atención, cálculo mental, observación.

Descripción: Se trata de encontrar todos los números del 0 al 9 en las matrículas de los coches.

Reglas y Desarrollo: Mientras viajamos en el coche en familia, buscamos matrículas, en los coches que circulan a nuestro lado, que contengan el número 0. Una vez encontrado, repetimos la búsqueda con el número 1, y así sucesivamente hasta el 9.

Variantes:
— Buscar las letras del abecedario en vez de números.
— Buscar los números pero solo en coches del mismo color.
— Buscar matrículas cuyos dígitos sumen un valor concreto.
— Cualquier otra combinación de operaciones aritméticas.

Nº 61, JUEGO: LAS PALMITAS
Edades: 8 años en adelante.
Participantes: 8 a 30.
Lugar de Juego: Espacios abiertos.
Habilidades, Capacidades y Valores que Potencia: Agilidad, habilidad, coordinación, estrategia, reflejos, intuición, sociablilidad.
Descripción: Intentar atrapar o tocar a los jugadores del equipo contrario que nos han «provocado».
Reglas y Desarrollo: Se dividen los jugadores en dos equipos, enfrentados en línea a una distancia de unos 20 m. Cada jugador extenderá su brazo derecho con la palma de la mano abierta hacia arriba.

Comienza un jugador tocando suavemente las palmas de los jugadores del equipo contrario. A uno cualquiera le pega fuerte en la palma y este debe correr al que le pegó y tratar de alcanzarlo antes de que cruce la línea de su equipo. Si es hecho prisionero debe ponerse a un costado del campo equidistante de ambos equipos, con su brazo extendido, para que lo rescaten sus compañeros de equipo en alguna carrera siguiente. El que había sido desafiado deberá, a su vez, desafiar a alguno del otro equipo para que lo corra.

El juego termina cuando todos los de un equipo son hechos prisioneros, o luego de un tiempo convenido. El equipo que hizo más prisioneros gana.

Nº 62, JUEGO: LAS REDES
Edades: 8 a 12 años.
Participantes: 8 a 40.
Lugar de Juego: Espacios abiertos.
Habilidades, Capacidades y Valores que Potencia: Habilidad, agilidad, coordinación, estrategia, reflejos, intuición.
Descripción: Juego de persecución trabajando en colaboración.
Reglas y Desarrollo: Dos jugadores se toman por ambas manos formando la red, los demás se distribuyen por el campo previamente delimitado y hacen las veces de peces.

A la señal la red trata de atrapar algún pez sin romperse. Los peces atrapados pasan a formar parte de la red que se va agrandando más y más hasta pescar al último pez.
Variantes: Pueden usarse varias «redes».

Nº 63, JUEGO: LAS TIENDAS

Edades: De 3 a 8 años.

Participantes: De 2 a 6.

Lugar de Juego: Interiores.

Habilidades, Capacidades y Valores que Potencia: Aprendizaje de la sociedad de consumo, imaginación, conocimiento de las diferentes monedas y cambio, relaciones personales, agilidad aritmética, diseño y decoración.

Descripción: Construir un puesto de un mercadito o tienda y vender los productos a los demás jugadores.

Material Necesario: Sábanas, sillas, cartones, etcétera, depende de la imaginación.

Reglas y Desarrollo: Entre todos los jugadores se construye uno o varios puestos de un mercado o tiendas. Se buscan los productos a vender y el o los jugadores que hacen de tenderos colocan en los «mostradores» la mercancía ofrecida, y los precios correspondientes. Se fabrica el dinero, billetes y monedas, y se juega a comprar, vender y regatear.

Variantes: Puede jugarse con muchos tipos de tiendas:

— de animales, con animales de peluche;

— ultramarinos: con latas, frutas, legumbres y verduras de la cocina;
— librería: con libros, cuentos y periódicos;
— juguetería: con juguetes;
— zapatería: con zapatos;
— de ropa: con prendas de vestir;
— etcétera.

Nº 64, JUEGO: LOS ABOGADOS

Edades: 8 años en adelante.

Participantes: 7 a 15.

Lugar de Juego: Cualquiera.

Habilidades, Capacidades y Valores que Potencia: Agilidad mental.

Descripción: Los jugadores se sientan en rueda y el animador se ubica en el centro de ella.

Reglas y Desarrollo: El animador comienza el juego haciendo una pregunta a cualquiera de los participantes, pero el interrogado no puede responder nada. Quien responderá es un abogado que está a su izquierda y lo hará sin demora.

Si el interrogado se confunde y responde en lugar de su abogado, o si este está distraído y tampoco responde, pagará una prenda. Es importante cuidar la continuidad, coherencia y agilidad de las preguntas.

Nº 65, JUEGO: LOS PASOS

Edades: 4 o 5 años.

Participantes: A partir de 5.

Lugar de Juego: Cualquiera.

Habilidades, Capacidades y Valores que Potencia: Psicomotricidad, sociabilidad, desarrollar nociones topológicas básicas: grande, pequeño, delante, atrás...

Descripción: Imitar los pasos de los animales.

Reglas y Desarrollo: Uno de los niños/as en la pared, el resto enfrente. El que está en la pared debe ir indicando a sus compañeros los tipos de pasos que deben dar y el número de ellos.

— Paso de elefante: lo más amplio posible.

— Paso de hormiga: lo más pequeñito.

— Paso de cangrejo: hacia atrás.

— Paso de bailarina: hacia adelante dando un giro completo.

— Paso de enanito: en cuclillas o agachados, etcétera, el niño/a que consiga llegar antes a la meta, dirigirá el juego.

Nº 66, JUEGO: LOS SALTAMONTES Y LA RANA

Edades: 9 a 12 años.

Participantes: A partir de 6.

Lugar de Juego: Espacios abiertos.

Habilidades, Capacidades y Valores que Potencia: Habilidades y destrezas básicas. Mejorar la fuerza de piernas y la coordinación en los saltos.

Descripción: Juego de persecución saltando.

Reglas y Desarrollo: Un niño/a, la rana, empieza el juego desde su «casa»; los demás, los saltamontes, se dispersan por el terreno de juego. La rana sale a pillar desplazándose a la «pata coja»; los demás se desplazan a «pies juntos». Cuando la rana pille a un saltamontes, lo lleva hasta su casa (andando, para recuperar), convirtiéndose en otra rana. Seguidamente, las ranas, que se desplazan a la «pata coja», salen en busca de los demás. El juego continúa hasta que todos los niños/as se han convertido en ranas y no quedan saltamontes.

Nº 67, JUEGO: LUCHA DE PIES

Edades: 6 a 12 años.

Participantes: 2 a 10.

Lugar de Juego: Cualquiera.

217

Habilidades, Capacidades y Valores que Potencia: Coordinación y vigor muscular.

Descripción: Dos jugadores se sientan frente a frente en el suelo y prueban su fuerza empujándose con los pies.

Reglas y Desarrollo: Los jugadores apoyan las manos detrás como para sostener el cuerpo, y colocan las plantas de los pies en las de su adversario. Deben estar sentados lo suficientemente cerca como para que las piernas queden flexionadas y se pueda hacer presión.

A la señal los jugadores comienzan a hacer presión sobre el pie del otro (una pierna a la vez) esforzándose por doblar hacia atrás la pierna del contrario. El que lo logra, gana.

Nº 68, JUEGO: MAQUETAS

Edades: A partir de 9 años.

Participantes: 1 o 2.

Lugar de Juego: Interiores.

Habilidades, Capacidades y Valores que Potencia: Motricidad fina, capacidad de atención y concentración, observación, paciencia.

Descripción: Realizar un modelo a escala de un objeto.

Material Necesario: Una maqueta para montar, pegamento, tijeras, etc.

Reglas y Desarrollo: Estudiar los planos, piezas y diseño final de la maqueta a montar. Planificar las diferentes fases del montaje y comenzar el ensamblado de las piezas hasta la terminación de la maqueta. Posteriormente, decorarla, pintarla o dar el acabado adecuado.

Nº 69, JUEGO: MASTERMIND

Edades: 9 años en adelante.

Participantes: 2.

Lugar de Juego: Interiores.

Habilidades, Capacidades y Valores que Potencia: Lógica, estrategia, deducción lógico-matemática, seriación, discriminación, análisis del problema, anticipación, hipótesis, comprobación de resultados.

Descripción: Descubrir un número de cinco cifras del jugador contrario, basándonos en los aciertos parciales de los diferentes intentos que realizamos por encontrarlo.

Material Necesario: Papel y bolígrafo.

Reglas y Desarrollo: Cada jugador elige un número de 5 cifras diferentes, y que debe intentar descubrir el oponente. Comienza uno de los jugadores, haciendo la primera tentativa por adivinar el número del contrario, diciendo un número de cinco cifras.

El jugador contrario indicará cuantas de las cinco cifras mencionadas se encuentran en el número que él tiene, y si alguna ha sido acertada en su lugar exacto, de la siguiente manera:

— Un muerto, es una cifra acertada en su lugar correcto.

— Un herido es una cifra acertada, pero en lugar equivocado.

Así por ejemplo, podría responder: «1 muerto y 2 heridos», que quiere decir que el número de 5 cifras que hemos dicho, tiene tres cifras coincidentes con el número del contrario, y además una de ellas la hemos acertado en su lugar.

A continuación juega el otro jugador, y así sucesivamente hasta que uno de los dos acierte el número del contrario, gracias a las pistas que hemos ido obteniendo.

Variantes:

— Se puede variar el número de dígitos del número a descubrir.

— Se pueden permitir números con cifras repetidas.

— En vez de números, es posible hacerlo con letras o colores.

Nº 70, JUEGO: MECANO

Edades: A partir de 8 años.

Participantes: 1 a 4.

Lugar de Juego: Interiores.

Habilidades, Capacidades y Valores que Potencia: Fomentan la imaginación, la habilidad, la coordinación, la creatividad, la constancia y la paciencia.

Descripción: Construir un objeto o vehículo.

Material Necesario: Un mecano.

Reglas y Desarrollo: Decidir lo que vamos a construir y cómo realizarlo. En caso de ser más de un jugador, cooperar en el proyecto, repartiendo tareas: buscar las piezas necesarias, construir cada uno una parte, etc.

Nº 71, JUEGO: MEMORIA (HACER PAREJAS)

Edades: A partir de 6 años.

Participantes: De 2 a 6.

Lugar de Juego: Interiores.

Habilidades, Capacidades y Valores que Potencia: Asociación de imágenes, memoria visual, inteligencia general, discriminación de figuras, localización.

Descripción: Localizar parejas de fichas de entre todas las fichas existentes, puestas del revés sobre una mesa, y distribuidas ordenadamente.

Material Necesario: 20 o más parejas de fichas iguales o relacionadas.

Reglas y Desarrollo: Se barajan todas las fichas boca abajo y se distribuyen de forma uniforme sobre la mesa. Cada jugador, en su turno, levanta dos fichas, intentando localizar una pareja. Si no tiene éxito, vuelve a colocarlas boca abajo en su lugar, una vez que todos los jugadores las hayan visto.

Si ha conseguido localizar una pareja, retira las fichas del juego y levanta otras dos, y así sucesivamente hasta que falle.

Gana el juego el jugador que más parejas consiga.

Variantes:

— Jugar con parejas de fichas iguales.
— Jugar con parejas de fichas relacionadas (dos vistas diferentes del mismo objeto, dos mitades, un objeto y una propiedad del mismo, etcétera).

Nº 72, JUEGO: MONEDAS

Edades: 5 años en adelante.

Participantes: 3-8.

Lugar de Juego: Interiores.

Habilidades, Capacidades y Valores que Potencia: Puntería, concentración, estrategia, atención, coordinación de los sentidos, sociabilidad.

Descripción: El objetivo es conseguir dominar la posición central de la mesa o bien que nuestra moneda sea la única que quede sobre la misma.

Material Necesario: Una mesa y una moneda por jugador (todas deben ser iguales).

Reglas y Desarrollo: Se repartirá una moneda por jugador.

Con una de ellas, dibujar en el centro de la mesa, con un lápiz, un círculo, utilizando para ello una de las monedas, dibujando su contorno. En el centro del círculo pintaremos un punto de unos 3 milímetros de diámetro.

Los jugadores colocan sus monedas alrededor de la mesa, a igual distancia del círculo central.

Cada jugador, en su turno, deberá golpear con el dedo su moneda.

223

— Si consigue tapar el punto central gana.

— Si su moneda cae de la mesa, bien porque falla en el tiro, bien por ser empujado por otro jugador, queda eliminado.

— Si consigue cubrir parte del círculo central, no podrá ser empujado fuera de la mesa por otro jugador, y si alguno le tira fuera, queda eliminado el que lo haya hecho.

— Gana el jugador que consiga tapar el punto central completamente con su moneda o bien aquel que consiga que su moneda sea la única que quede sobre la mesa.

Nº 73, JUEGO: MONOPOLY

Edades: 9 años en adelante.

Participantes: 2-8.

Lugar de Juego: Interiores.

Habilidades, Capacidades y Valores que Potencia: Planificación, orden, capacidad de administración de tus propios recursos, estrategia, inteligencia, agilidad en el manejo de cantidades en moneda. Establecer prioridades.

Descripción: La idea de este juego es obtener grandes beneficios, comprando, alquilando o vendiendo propiedades, de forma que uno de los jugadores llegue a ser el más rico y, por consiguiente, el ganador.

Material Necesario: El juego del Monopoly o Palé.

Reglas y Desarrollo: Consultar el manual de instrucciones del propio juego.

Nº 74, JUEGO: OCA

Edades: 4 años en adelante.

Participantes: 2-4.

Lugar de Juego: Interiores.

Habilidades, Capacidades y Valores que Potencia: Capacidad de adaptación, interacción social.

Descripción: Avanzar por un tablero en forma de espiral con 63 casillas, numeradas del 1 al 63 y en las que hay un dibujo. Dependiendo de la casilla en la que se caiga se puede lograr avanzar o por el contrario retroceder y en algunas de ellas está indicado un castigo. En su turno cada jugador tira dos dados que le indican el número de casillas que hay que avanzar.

El juego lo gana el primer jugador que llega a la casilla 63 «el jardín de la oca».

Material Necesario: Un tablero del juego de la Oca, un dado y por cada jugador, una ficha.

Reglas y Desarrollo: Consultar el manual de instrucciones del propio juego.

Nº 75, JUEGO: PALABRAS ENCADENADAS

Edades: A partir de 8 años.

Participantes: 2 a 6.

Lugar de Juego: Cualquiera.

Habilidades, Capacidades y Valores que Potencia: Dominio del lenguaje, agilidad mental, inteligencia, memoria, rapidez de pensamiento, vocabulario, lógica verbal.

Descripción: Consiste en ir encadenando palabras por sus sílabas última y primera.

Reglas y Desarrollo: Un jugador dice una palabra, y el siguiente en el turno debe decir otra, de tal forma que la primera sílaba coincida con la última sílaba de la palabra dicha por el jugador anterior, y así sucesivamente. Pierde el jugador que no sepa responder en un tiempo marcado previamente o que repita una palabra ya mencionada.

Variantes: Si queremos reducir la dificultad podemos tomar la última letra de la palabra propuesta. Se puede hacer de forma abierta o restringida (campo léxico, forma gramatical, etc.).

Otra posibilidad es decir palabras relacionadas, no encadenadas. Un jugador dice una palabra, y el siguiente debe decir otra que, de alguna manera, esté relacionada con la anterior y así sucesivamente.

Nº 76, JUEGO: PAPIROFLEXIA
Edades: A partir de 10 años.
Participantes: De 1 a 6.
Lugar de Juego: Interiores.
Habilidades, Capacidades y Valores que Potencia: Psicomotricidad fina, habilidad manual, imaginación, inteligencia, creatividad, concepción espacial.
Descripción: Realizar figuras, seres u objetos, doblando convenientemente un trozo de papel.
Material Necesario: Hojas de papel y tijeras.
Reglas y Desarrollo: Utilizando una hoja de papel y mediante cortes y dobleces, realizar un objeto, animal, personaje, etc. Bien inventándolo o siguiendo los pasos necesarios a través de un libro.

Nº 77, JUEGO: PARCHÍS
Edades: 4 años en adelante.
Participantes: 2-4.

Lugar de Juego: Interiores.

Habilidades, Capacidades y Valores que Potencia: Capacidad de adaptación, interacción social, estrategia, cálculo mental.

Descripción: El juego consiste en pasar las 4 fichas que se encuentran fuera del tablero a su posición final. Para ello es necesario atravesar todas las celdas evitando ser comido por otro jugador.

Material Necesario: Un tablero de Parchís, y por cada jugador, un cubilete, un dado y cuatro fichas.

Reglas y Desarrollo: Consultar el manual de instrucciones del propio juego.

Nº 78, JUEGO: PASE MISÍ

Edades: 2-4 años.

Participantes: A partir de 4.

Lugar de Juego: Cualquiera.

Habilidades, Capacidades y Valores que Potencia: Psicomotricidad, sociabilidad, sentido musical.

Descripción: Los participantes, cogidos de la mano, juegan a pasar agachados por debajo de los brazos entrelazados.

Reglas y Desarrollo: Dos niños se colocan haciendo un arco con sus brazos, bajo el cual desfilan el resto de los niños cogidos de la mano, formando una fila, mientras cantan:

Pase misí
Pase misa
Por la puerta de Alcalá.
Los de adelante corren mucho
Los de atrás se quedarán.

Cuando han pasado todos, los primeros de la fila forman ahora el arco, y así sucesivamente.

Variantes: Los niños pueden pasar también por debajo de las piernas de un adulto.

Nº 79, JUEGO: PELOTA EN ALTO

Edades: 8 a 16 años.

Participantes: 8 en adelante.

Lugar de Juego: Espacios abiertos.

Habilidades, Capacidades y Valores que Potencia: Agilidad y reflejos, puntería.

Descripción: Un jugador intenta dar con una pelota al resto de los jugadores, que permanecen inmóviles.

Material Necesario: Una pelota.

Reglas y Desarrollo: Los jugadores rodean al animador, que tiene la pelota.

El animador lanza la pelota hacia arriba y a la vez nombra a uno de los jugadores. Todos se alejan corriendo, menos el nombrado quien deberá apresurarse a tomar la pelota. Apenas la tenga en sus manos gritará: «¡alto!», para que todos se detengan y permanezcan «como estatuas» en donde estaban al oír el grito. Elegirá al jugador que tenga más cerca y, sin moverse de su lugar, tratará de darle con la pelota. Si lo logra, el jugador «tocado» saldrá del juego, si no tendrá que abandonar él. Se reanuda el juego hasta que quede un jugador. El jugador a quien se pretende dar no puede moverse para esquivar la pelota.

Variantes: Una variación es que si el nombrado coge la pelota antes de que toque el suelo, podrá lanzarla nuevamente hacia arriba y nombrar a otro de sus compañeros que deberá, a su vez, intentar cogerla.

Nº 80, JUEGO: PELOTAZO
Edades: 8 a 14 años.
Participantes: A partir de 10.
Lugar de Juego: Espacios abiertos.

Habilidades, Capacidades y Valores que Potencia: Psicomotricidad. Coordinación dinámica general.

Descripción: El grupo estará disperso por el terreno de juego.

Material Necesario: Dos pelotas blandas.

Reglas y Desarrollo: El animador lanzará las pelotas en cualquier dirección, el que la coge lanzará contra sus compañeros intentando darles. Al que le dé, se sentará en el suelo y solo será salvado si recoge alguna pelota, entonces volverá al juego. Si un jugador la coge al vuelo sin que caiga al suelo, no se tendrá que sentar.

Variantes: Eliminar, salvar a compañeros sentados, lanzar con una mano dentro de la camiseta,...

Nº 81, JUEGO: PEONZA

Edades: Desde los 7 años.

Participantes: De 2 a 4.

Lugar de Juego: Espacios abiertos.

Habilidades, Capacidades y Valores que Potencia: Habilidad manual, motricidad fina.

Descripción: Explanada de tierra dura y lisa, sin plantas ni piedras. Se dibuja en el suelo un círculo de 50 cm de radio.

MARÍA ISABEL JIMÉNEZ DOMECQ

Material Necesario: Peonza.

Reglas y Desarrollo: La peonza está hecha de madera torneada y presenta una forma de pera invertida. Se le añade un clavo en la base para que gire sobre él. Para lanzar la peonza, se utiliza una cuerda. Primero nos atamos un extremo de la cuerda a la mano y el resto lo enrollamos alrededor de la peonza, entonces sujetamos la peonza con los dedos índice y pulgar y se lanza al suelo, al desenrollarse la cuerda se provoca el giro de la peonza.

El primer jugador lanza la peonza dentro del círculo y el resto va lanzando la suya consecutivamente para conseguir sacar del círculo alguna de las peonzas que se encuentran girando. Gana el jugador que más peonzas saque del círculo.

Variantes: Ver quién hace girar durante más tiempo la peonza. Otra es la de intentar coger con la mano la peonza, mientras está girando y ver cómo gira en la palma de la mano.

Nº 82, JUEGO: PEPITO

Edades: A partir de 5 años.

Participantes: 3 en adelante.

Lugar de Juego: Cualquiera.

232

Habilidades, Capacidades y Valores que Potencia: Creatividad, imaginación, memoria y lenguaje.

Descripción: Crear una historia inventada entre todos los jugadores.

Reglas y Desarrollo: Comienza uno de los jugadores inventando el personaje de «Pepito» y su historia. Si durante el relato pronuncia la palabra «Y», pierde el turno de narrador que pasa al siguiente jugador, que a su vez, continúa el relato donde el anterior lo abandonó, diciendo «Y...» y aquello que se le ocurra, pero siempre respetando todo lo que se haya contado hasta ahora, para dar coherencia a la historia.

Si el jugador que está narrando, dice de nuevo la palabra «Y», el turno pasa al siguiente jugador, y así sucesivamente.

Pierde el que mata a Pepito o contradice algo de lo dicho anteriormente.

Nº 83, JUEGO: PICTIONARY

Edades: A partir de 8 años.
Participantes: 4 a 8, en dos equipos.
Lugar de Juego: Interiores.

Habilidades, Capacidades y Valores que Potencia: Inteligencia, creatividad, imaginación, sociabilidad, representación gráfica.

Descripción: Se trata de conseguir que los integrantes de tu equipo adivinen un objeto, acción, personaje, etc. utilizando para ello, solamente dibujos, en un tiempo limitado.

Material Necesario: Papel, lápices, cartas y un tablero.

Reglas y Desarrollo: Se colocan las cartas (con la cara hacia abajo) en el centro del tablero. Cada equipo toma una ficha de juego, un lápiz y algunas hojas de papel. Ambos equipos eligen un «dibujante» que será el jugador que dibujará la primera palabra para cada equipo.

Hay casillas denominadas «juegan todos» y otras que son solo para el equipo que ha caído en ellas. En cada jugada, el/los dibujantes, tiene/n un minuto para dibujar las claves de la palabra indicada por la carta. Cada dibujante está dibujando para sus propios compañeros de equipo.

El equipo que adivina primero correctamente la palabra antes que el tiempo haya terminado, tira el dado y mueve sus piezas de juego sobre el tablero el número de espacios indicados en el dado. Se seleccionan nuevos dibujantes y prosigue el juego.

Nº 84, JUEGO: PING-PONG
Edades: 5 años en adelante.
Participantes: 2 o 4.
Lugar de Juego: Interiores.
Habilidades, Capacidades y Valores que Potencia: Agilidad, rapidez, coordinación mano-ojo, precisión.
Descripción: Tenis de mesa.
Reglas y Desarrollo: Las propias del juego.
Variantes: Pueden jugar dos jugadores, uno contra otro o cuatro por parejas.

Nº 85, JUEGO: PING-PONG DE PREGUNTAS Y RESPUESTAS
Edades: 8 a 14 años.
Participantes: 4 en adelante.
Lugar de Juego: Cualquiera.
Habilidades, Capacidades y Valores que Potencia: Rapidez de pensamiento, memoria, expresión oral, conocimiento profundo de un tema, inquietud por aprender, atención.
Descripción: Responder la mayor cantidad de

preguntas de un tema concreto, de forma correcta y en el menor tiempo posible.

Reglas y Desarrollo: Puede adaptarse a cualquier tema, y consiste en que el coordinador del juego hace preguntas en voz alta a los participantes, quienes deben responder todas las preguntas que puedan, intentando hacerlo en el menor tiempo posible. Gana el equipo o persona que haya contestado más preguntas en forma correcta.

Nº 86, JUEGO: PONER LA COLA AL BURRO

Edades: A partir de 6 años.

Participantes: A partir de 6.

Lugar de Juego: Interiores.

Habilidades, Capacidades y Valores que Potencia: Proporciona gran diversión a los espectadores.

El que lo ejecuta ha de procurar orientarse en el espacio, él solo o a través de las consignas dadas por su equipo.

La habilidad manual es importante en el hecho de pegar o clavar con los ojos cerrados.

Descripción: Consiste en dibujar un burro y con los ojos vendados intentar colocarle al animal la cola en su sitio, con ayuda de los compañeros, que le indicarán. Gana el equipo que más se haya aproximado.

236

Material Necesario: Se requiere que, en el espacio donde se desarrolla el juego haya una pizarra o tablero laminado con corcho. Si se va a jugar sobre corcho necesitamos papel para diseñar el burro. Ya se juegue sobre pizarra o corcho, se confeccionará una cola de papel, en cuyo extremo se colocará cinta adhesiva o una chincheta que permita su sujeción al dibujo.

Reglas y Desarrollo: Se inicia el juego eligiendo a suertes un participante que, con los ojos vendados, debe colocar la cola al burro tras haberle dado varias vueltas sobre sí mismo para desorientarle. Los participantes estarán divididos en dos grupos o equipos, y, mientras uno coloca la cola, el resto del equipo le orienta indicando: arriba, a la izquierda, a la derecha, etc. Gana el equipo que menos tiempo tarda en colocar correctamente la cola al burro.

Variantes: El juego se puede llevar a cabo por varios equipos, no tiene porqué ser solo dos. Se puede cambiar de animal y así le enseñamos a los niños varios, también podemos cambiar las partes de este.

Nº 87, JUEGO: PUZZLE
Edades: 2 años en adelante.
Participantes: 1-3.

Lugar de Juego: Interiores.

Habilidades, Capacidades y Valores que Potencia: Concepción espacial, agudeza visual, psicomotricidad fina, inteligencia, memoria visual, concentración, razonamiento, capacidad de observación.

Descripción: Completar un puzzle o rompecabezas encajando las piezas en su lugar hasta completar una figura o imagen.

Material Necesario: Un puzzle o rompecabezas.

Reglas y Desarrollo: Todas las piezas del puzzle se colocan boca arriba. Se van encajando unas con otras hasta formar la imagen u objeto final. En caso de ser varios los jugadores, trabajarán en equipo para conseguir terminar el puzzle.

Variantes: En función de la edad se debe escoger un puzzle con las fichas del material, tamaño y número adecuado.

Nº 88, JUEGO: RISK

Edades: 10 años en adelante.

Participantes: 2-6.

Lugar de Juego: Interiores.

Habilidades, Capacidades y Valores que Potencia: Estrategia, conocimientos de Geografía e Historia, inteligencia, planificación, sociabilidad.

Descripción: Conquistar el mundo, al ocupar todos los territorios, y por lo tanto eliminar a todos los oponentes.

Material Necesario: El juego del Risk.

Reglas y Desarrollo: Consultar el manual de instrucciones del propio juego.

Nº 89, JUEGO: RUMMIKUB

Edades: A partir de 8 años.

Participantes: 2 a 4.

Lugar de Juego: Interiores.

Habilidades, Capacidades y Valores que Potencia: Inteligencia, cálculo mental, lógica, estrategia, series numéricas.

Descripción: Consiste en hacer series de números en orden y colores. Gana el jugador que pueda colocar todas sus fichas.

Material Necesario: El juego del Rummikub.

Reglas y Desarrollo: Consultar el manual de instrucciones del propio juego.

Nº 90, JUEGO: SCRABBLE (JUEGO DE LAS PALABRAS CRUZADAS)

Edades: A partir de 8 años.

Participantes: 2 a 6.

239

Lugar de Juego: Interiores.

Habilidades, Capacidades y Valores que Potencia: Desarrollo de la lógica verbal y del vocabulario, lengua y literatura castellana, vocabulario castellano, análisis de palabras, composición e indagación de los significados.

Descripción: Crear palabras sobre un tablero utilizando las letras de que disponemos, anotando la mayor cantidad de puntos posibles.

Material Necesario: El juego del scrabble (tablero y fichas).

Reglas y Desarrollo: Las propias del juego.

Nº 91, JUEGO: SPLASH

Edades: A partir de 8 años.

Participantes: A partir de 8.

Lugar de Juego: Espacios abiertos.

Habilidades, Capacidades y Valores que Potencia: Distenderse. Cohesionar al grupo. Tomar contacto físico. Quitar prejuicios.

Descripción: Se trata de evitar que te pillen y librarte con ayuda de tus compañeros/as.

Reglas y Desarrollo: El animador/a trata de pillar a alguien, tocándole. Si lo consigue esta será la nueva persona que intente pillar. Para tratar de evitar que te pillen, puedes, en cualquier momento, pararte, juntando las manos (dando una palmada) con los brazos estirados al tiempo que gritas SPLASH. A partir de ese momento quedas inmóvil en la posición. Para reanimar a las que están inmóviles alguien tiene que entrar dentro del hueco que forman con sus brazos y tocarle la nariz. Mientras se está dentro de los brazos sin tocarle la nariz, los dos están en zona libre, sin que puedan darles.

Nº 92, JUEGO: TANGRAN
Edades: 8 años en adelante.
Participantes: 1 a 3.
Lugar de Juego: Interiores.
Habilidades, Capacidades y Valores que Potencia: Inteligencia, imaginación, concepción espacial, geometría, concentración, paciencia.
Descripción: Rompecabezas chino compuesto de solo siete piezas simples, con las que se pueden construir cientos de figuras reconocibles, que representan animales, objetos, personas, signos...
Material Necesario: Es muy fácil de construir con cartón, cartulina o madera (se recomienda utilizar un material con algo de grosor para que las

piezas no se monten una sobre otra al juntarlas). También se puede comprar.

Reglas y Desarrollo: Intentar realizar la figura que se nos proponga con la única ayuda de las siete piezas del juego, sin que estas se superpongan.

Nº 93, JUEGO: TELÉFONO DE JUGUETE

Edades: 2 y 3 años.

Participantes: A partir de 1.

Lugar de Juego: Interiores.

Habilidades, Capacidades y Valores que Potencia: Imaginación, comunicación, sociabilidad.

Descripción: Animarle a hablar, imaginariamente, con alguien que no esté presente, utilizando el teléfono. Hacerlo nosotros primero. Activar los sonidos del juguete y hacerle ver que es como el de papá o mamá.

Material Necesario: Un teléfono de juguete.

Reglas y Desarrollo: Libre.

Variantes: Usar la mano o cualquier otro objeto, y hacer que hablamos por él con alguien.

Nº 94, JUEGO: TIERRA, AIRE Y AGUA

Edades: 8 a 14 años.

Participantes: 5 en adelante.

Lugar de Juego: Espacios abiertos.

Habilidades, Capacidades y Valores que Potencia: Ampliar conocimientos, interacción en el grupo, memoria, rapidez verbal y de pensamiento.

Descripción: Hacer participar a todos los jugadores y fomentar el conocimiento de los animales acuáticos, marinos y terrestres.

Material Necesario: Una pelota.

Reglas y Desarrollo: Los jugadores se sientan formando un semicírculo y en el centro se coloca uno de ellos con una pelota.

El jugador del centro lanza a cualquiera la pelota y al mismo tiempo dice, por ejemplo: «agua!», y empieza a contar hasta diez. El jugador que recibe la pelota debe decir el nombre de un animal que viva en el agua, antes de que el otro termine de contar.

Si se ha dicho «aire» debe nombrar un ave, etc. No debe repetirse el nombre de los animales. Los que no responden a tiempo van saliendo del juego o tienen prenda.

Variantes: Puede jugarse sin que haya uno en el medio. La pelota se lanza de uno al otro en la rueda, gritando siempre «tierra», «aire», o «agua».

243

MARÍA ISABEL JIMÉNEZ DOMECQ

Nº 95, JUEGO: TRENECITO CIEGO

Edades: A partir de 8 años.

Participantes: A partir de 5.

Lugar de Juego: Espacios abiertos.

Habilidades, Capacidades y Valores que Potencia: Sensorial. Respuesta a estímulos táctiles. Equilibrio, confianza en los amigos.

Descripción: Hacer grupos en filas indias (un tren) de no más de 5 personas.

Material Necesario: Pañuelos para tapar los ojos.

Reglas y Desarrollo: Dispuestos en filas indias, todos con los ojos vendados excepto el último. Este dirigirá el tren: un toque en el hombro izdo. para ir a la izda., un toque en el de la dcha. para ir a la derecha y suave en la cabeza (tener cuidado con eso) para parar. Se puede hacer un recorrido por donde el tren tenga que pasar.

Nº 96, JUEGO: TRIÁNGULO

Edades: Desde los 7 años.

Participantes: Mínimo 2 y máximo 9 jugadores.

Lugar de Juego: Espacios abiertos.

Habilidades, Capacidades y Valores que Potencia: Mejorar la motricidad fina.

Descripción: Explanada de tierra dura y lisa, sin plantas ni piedras. Se dibuja en el suelo un triángulo equilátero de 50 cm de lado. Se coloca una canica por participante en cada extremo del triángulo (si son más de tres jugadores, las canicas se colocan en cualquier punto del lado del triángulo).

Material Necesario: Canicas (son bolas de cristal o cerámica normalmente decoradas).

Reglas y Desarrollo: Los jugadores se sitúan a unos 10 metros del triángulo y tiran cada uno su canica, el que quede más cerca del triángulo empieza, el siguiente más cercano será el segundo... de esta forma se establece el orden de tirada en la partida. Cada jugador tira una vez en cada turno, empezando en la línea marcada a 10 metros y continuando en la posición en que quedó la canica, en el siguiente turno. El objetivo es, una vez que se está cerca del triángulo, realizar un tiro de precisión (a «uñeta»), para conseguir sacar una canica del triángulo. Si sacas la canica la eliminas del juego y si la que lanzaste quedó fuera del triángulo, podrás volver a tirar en el siguiente turno, pero si quedó dentro del triángulo no puedes seguir jugando la partida, otro jugador podrá sacarla con la suya y eliminarla. El juego acaba cuando todos los jugadores han perdido (debido a que su canica quedó dentro del triángulo), o cuando se acaban las canicas dentro del triángulo. La primera tirada se realiza de pie y como se quiera, pero las siguientes deben realizarse a una altura máxima de un palmo del suelo y a «uñeta», esta técnica de lanzado consiste en agarrar la canica con el dedo índice y empujarla con el dedo pulgar.

Nº 97, JUEGO: TRIVIAL

Edades: A partir de 9 años.

Participantes: 3 a 6.

Lugar de Juego: Interiores.

Habilidades, Capacidades y Valores que Potencia: Cultura general, sociabilidad.

Descripción: Poner a prueba los conocimientos de los jugadores sobre historia, literatura, ciencia, geografía, espectáculos y deportes, de una forma divertida.

Material Necesario: Tablero para jugar al Trivial; tarjetas con preguntas y respuestas; un dado, una ficha para cada jugador y «pasteles» con sus cuñas de puntuación para rellenarlos.

Reglas y Desarrollo: El objetivo es llegar a la casilla central y responder a una pregunta de un tema elegido. Antes de llegar a este punto, el jugador debe haber ganado todas las porciones de su pastel y haber respondido sin error a una pregunta de cada tema.

Cada jugador selecciona una ficha y recibe el «pastel» vacío y las seis cuñas de puntuación (son como las porciones de un pastel que hay que ir completando); cada una de las porciones es del color de un tema.

Cuando una ficha llega a una casilla de un tema o a una casilla principal, se formula al jugador una pregunta sobre el tema correspondiente. Si el jugador responde correctamente a la pregunta, puede tirar de nuevo y avanzar su ficha, si está en una casilla principal, puede colocar la cuña de puntuación del color de la pregunta en su «pastel». El jugador continúa tirando mientras pueda responder a las preguntas. En el momento en que falla, el turno pasa al jugador de su izquierda.

Variantes: Puede jugarse de forma individual o en equipos de igual número de contendientes.

Nº 98, JUEGO: TULA (TÚ LA LLEVAS)
Edades: 5 años en adelante.
Participantes: A partir de 4.

Lugar de Juego: Espacios abiertos.

Habilidades, Capacidades y Valores que Potencia: Habilidad, agilidad, coordinación, reflejos.

Descripción: Un jugador «la lleva» y persigue al resto, intentando «dar» a alguno.

Reglas y Desarrollo: Todos empiezan a correr por delante del que se la queda, provocándolo para que les pille, si toca a alguien debe decirle «Tú la llevas», este es que se la queda.

Nº 99, JUEGO: TUTTI FRUTI

Edades: 8 a 12 años.

Participantes: A partir de 4.

Lugar de Juego: Interiores.

Habilidades, Capacidades y Valores que Potencia: Vocabulario, inteligencia, lógica verbal, ortografía.

Descripción: Encontrar palabras que comiencen con la misma letra y que sigan una consigna dada.

Material Necesario: Papel y bolígrafo.

Reglas y Desarrollo: Para jugar al Tutti Fruti cada uno de los jugadores debe contar con una hoja dividida en varias columnas (cada una tendrá una consigna diferente, por ejemplo: colores, comidas, lugares, frutas y verduras, marcas, etcétera.). La persona que coordina el juego dirá una de las letras del abecedario y los participantes deberán escribir, en cada una de las columnas, una palabra que comience con esa letra y que esté acorde con la consigna. El primero que termina de escribir todas las palabras es el ganador.

Variantes:

— Tutti Fruti de acentuación: Esta variante se juega de la misma manera que el Tutti Fruti tradicional, solo varía la consigna de cada una de las columnas, que será: palabras agudas, graves y esdrújulas. Ganará el juego aquel participante que termine primero sin haber cometido ningún error.

— Tutti Fruti semántico: Las consignas de cada una de las columnas serán las siguientes: sustantivos, adjetivos, verbos. Ganará el niño que no haya cometido ningún error en el menor tiempo.

N° 100, JUEGO: VEO-VEO

Edades: 5 años en adelante.

Participantes: 2-9.

Lugar de Juego: Cualquiera.

Habilidades, Capacidades y Valores que Potencia: Imaginación, observación, conocimiento del abecedario, agilidad mental, riqueza de vocabulario.

Descripción: Consiste en observar algún objeto que se encuentre a la vista y dar como pista a los demás jugadores, solo la letra por la que comienza.

Reglas y Desarrollo: Un jugador dice al resto «Veo, veo».

«¿Qué ves?», contestan los demás jugadores.

«Una cosita que empieza por...» y dice la letra con la que comienza el nombre de un objeto que se encuentre a la vista y que es el que deben adivinar los otros jugadores.

Uno a uno, el resto de los jugadores irán sugiriendo nombres de objetos que comiencen con dicha letra. Si no lo aciertan, le toca al siguiente, y así sucesivamente.

Cuando uno descubre la palabra buscada gana y pasa a ser él el que debe pensar el objeto que tienen que adivinar los demás, repitiendo las frases iniciales.

Variantes:

— Puede decirse la letra inicial y final de la palabra a adivinar.

— Para niños más pequeños, puede decirse la sílaba inicial del objeto.

Nº	Nombre del juego	Edades	Lugar de juego	Nº de jugadores
1	AHORCADO	9+	I	2
2	AJEDREZ	5+	RI	2
3	ALQUERQUE	5+	I	2
4	ARRANCA CEBOLLAS	3+	E	5+
5	BACKGAMMON	8+	I	2
6	BANDOS CONTRARIOS (CARA O CRUZ)	8-12	E	10+
7	BARQUITOS	7+	I	2
8	BATALLA DE MULTIPLICACIONES	9-15	I	2
9	BATALLA NAVAL	6-12	E	6-20
10	BINGO	8+	I	4+
11	CADA CUAL CON SU MITAD	8+	I	8-20
12	CARRERAS	6+	E	3+
13	CONSTRUCCIONES	3+	RI	1+
14	CONSTRUIR UNA HISTORIA	10-14	I/C	6-20
15	CUBO DE RUBIK	10+	I/C	1
16	CUERDA VELOZ	7+	E	5+
17	DAMAS	6+	I	2
18	DIBUJAR EL PERRO O EL GATO	8+	I	4-20
19	DILO CON MÍMICA	9+	I/E	4, 6, 8
20	DOMINÓS DIFERENTES	5+	I	3-6
21	EL ANILLO	5+	E	5+
22	EL BOTE	7+	E	6+
23	EL CAZADOR CIEGO	5-11	E	12+
24	EL CORTA HILOS	6+	E	7+
25	EL DIBUJO CIEGO	5+	I	6+
26	EL DICCIONARIO	12+	I	4+
27	EL DISTRAÍDO	5-12	E	5-20
28	EL ESCUADRÓN	10+	I	6+
29	EL ESPEJO	6+	I/E	4+
30	EL GUSANO	9+	I/E	4-10
31	EL LAZARILLO	5+	I/E	(Parejas)
32	EL LOBO Y LAS OVEJAS	7+	I	5+
33	EL PAÑUELO	7+	RE	6+
34	EL REFUGIO DEL INDIO	8-12	E	8-40
35	ENCUENTRA LAS DIFERENCIAS	5+	I	1
36	ENSALADA DE FRUTAS	4+	E	7+
37	ESPALDA CONTRA ESPALDA	6+	I/E	(Parejas)

251

MARÍA ISABEL JIMÉNEZ DOMECQ

Nº	Nombre del juego	Edades	Lugar de juego	Nº de jugadores
38	GLOBOFLEXIA	8+	I/E	1-6
39	GUA	7+	E	2-9
40	GYMKHANA	5+	RE	6+
41	HAZTE VISIBLE DIBUJO INVISIBLE	4+	I	2+
42	HILERA DE FICHAS DE DOMINÓ	5+	I	1-5
43	JUEGO DE LAS PAREJAS	8+	I	3+
44	JUEGO DE LOS RUIDOS	-8	I/E	8+
45	JUEGOS DE CARTAS	6+	I	1-6
46	JUEGOS DE PUNTERÍA	4+	E	3+
47	LA ADUANA	8+	E	10+
48	LA BOMBA	4+	I/E	6+
49	LA CADENA	7+	E	5+
50	LA GALLINA CIEGA	6+	E	8+
51	LA GOMA ELÁSTICA	6-10	E	2-8
52	LA PESCADILLA	6-12	E	8+
53	LA PETANCA	5+	RE	3-8
54	LA RANA	8+	I/E	3+
55	LA RATA	4+	I/E	6-12
56	LA SILLA	3-10	I/E	4+
57	LAS COLAS DE LOS CABALLOS	5-6	E	3+
58	LAS CUATRO ESQUINAS	7+	I/E	5+
59	LAS LANCHAS	4+	I/E	8+
60	LAS MATRÍCULAS	4-11	RC	1-4
61	LAS PALMITAS	8+	E	8-30
62	LAS REDES	8-12	E	8-40
63	LAS TIENDAS	3-8	I	2-6
64	LOS ABOGADOS	8+	I/E	7-15
65	LOS PASOS	4-5	I/E	5+
66	LOS SALTAMONTES Y LA RANA	9-12	E	6+
67	LUCHA DE PIES	6-12	I/E	2-10
68	MAQUETAS	9+	I	1-2
69	MASTERMIND	9+	I	2
70	MECANO	8+	I	1-4
71	MEMORIA (HACER PAREJAS)	6+	RI	2-6
72	MONEDAS	5+	I	3-8
73	MONOPOLY	9+	I	2-8
74	OCA	4+	I	2-4

Nº	Nombre del juego	Edades	Lugar de juego	Nº de jugadores
75	PALABRAS ENCADENADAS	8+	I/RC/E	2-6
76	PAPIROFLEXIA	10+	I	1-6
77	PARCHÍS	4+	I	2-4
78	PASE MISI	2-4	I/E	4+
79	PELOTA EN ALTO	8-18	E	8+
80	PELOTAZO	8-14	E	10+
81	PEONZA	7+	E	2-4
82	PEPITO	5+	I/RC/E	3+
83	PICTIONARY	8+	I	4-8
84	PING-PONG	5+	I	2 o 4
85	PINGPONG PREGUNTAS RESPUESTAS	8-14	I/C/E	4+
86	PONER LA COLA AL BURRO	6+	I	6+
87	PUZZLE	2+	I	1-3
88	RISK	10+	I	2-6
89	RUMMIKUB	8+	I	2-4
90	SCRABBLE (PALABRAS CRUZADAS)	8+	I	2-6
91	SPLASH	8+	E	8+
92	TANGRAN	8+	I	1-3
93	TELÉFONO DE JUGUETE	2-3	I	1+
94	TIERRA, AIRE Y AGUA	8-14	E	5+
95	TRENECITO CIEGO	8+	E	5+
96	TRIÁNGULO	7+	E	2-9
97	TRIVIAL	9+	I	3-6
98	TULA (TÚ LA LLEVAS)	5+	E	4+
99	TUTTI FRUTI	8-12	I	4+
100	VEO-VEO	5+	I/RC/E	2-9

ABREVIATURAS UTILIZADAS:

-5: JUEGO ADECUADO PARA MENORES DE 5 AÑOS
5+: JUEGO RECOMENDADO PARA MAYORES DE 5 AÑOS
2-7: JUEGO RECOMENDADO PARA NIÑOS ENTRE 2 Y 7 AÑOS
I: INTERIOR
E: EXTERIOR
C: COCHE
RI: RECOMENDADO PARA INTERIORES
RE: RECOMENDADO PARA EXTERIORES
RC: RECOMENDADO PARA COCHE

PARA PENSAR PARA ACTUAR...

Para recordar...

A un niño le gustará jugar a un juego que domine y en el que pueda ganar o tener éxito. Por ello, la victoria o el éxito en un juego no deben depender exclusivamente del azar, sino de la dificultad que el juego ofrece, y en ocasiones, para demostrar la destreza o perfeccionamiento adquirido por el niño al jugar.

A la hora de escoger un juego, es de vital importancia tener en cuenta la edad del niño, para ayudarnos de los períodos sensitivos e instintos guía, así como de sus preferencias, y de este modo, garantizar un resultado óptimo en la elección del juego.

Para pensar...

El juego por equipos es un valioso instrumento para suavizar las rivalidades y competitividad naturales entre hermanos, y son el marco ideal para practicar la «Teoría Z». Ello se debe principalmente a que la actividad lúdica aporta diversión, disipa las tensiones y unifica objetivos dentro del juego.

Reflexionemos sobre la importancia que tiene para el niño el hecho de aprender a perder y a ganar en el juego, ya que esto le ayudará, posteriormente, a superar fracasos o asimilar éxitos en su vida de adulto, concentrándose en otros valores de orden superior.

ara ver...

La película *Mary Poppins,* de Robert Stevenson, resalta como, a través del juego puede educarse, motivar a los niños y por supuesto divertirse. Así como, podremos reflexionar sobre la importancia de que los padres dediquen tiempo para jugar con sus hijos.

ara hablar...

Tener una tertulia con los hijos para que cada uno sugiera uno o dos juegos a construir entre todos.

Hacer la lista de los juegos sugeridos y elegir entre todos por cual se va a empezar y fabricarlo.

Para actuar...

PLAN DE ACCIÓN

SITUACIÓN:

La familia Estébanez está integrada por un matrimonio, Aída y Alberto, y sus dos hijos, Albán de 10 años y Adriana de 6. El ambiente familiar es cordial, pero cada cual tiene modos diferentes de ocupar el tiempo libre. Alberto es un entusiasta del bricolaje y la electrónica, aficiones que practica en el garaje de su casa. A Aída le encanta coser y la decoración, y disfruta incorporando nuevos detalles a su hogar. Albán es un niño estudioso, responsable y constante en lo que hace. Es bastante introvertido y tiene pocos amigos. Sus ratos libres los dedica a leer o jugar a videojuegos de contenido bélico. Adriana, por su parte, tiene una imaginación desbordante, y no para quieta un minuto. Es algo irresponsable con sus cosas y bastante desordenada, pero tiene una espontaneidad y simpatía que la convierten en la alegría de la casa.

OBJETIVO:

Conseguir que la familia pase más tiempo de ocio juntos, ayudar a Albán a exteriorizar sus sentimientos y a relacionarse más y lograr que Adriana sea capaz de empezar a responsabilizarse de las cosas y sea más ordenada.

MEDIOS:

Aída ha comenzado hace poco a asistir a una escuela de padres y esto le ha servido para darse cuenta de que, a su familia perfecta, como ella le llama, le falta algo: pasar más tiempo juntos, compartir juegos y aficiones. Por ello ha decidido buscar un modo de encontrar tiempo para divertirse todos juntos y a la vez, ayudar a sus hijos en los puntos débiles que tienen, a través del juego.

MOTIVACIÓN:

Atraer la atención de cada uno con lo que más les gusta. A Alberto con el bricolaje, Albán con su afición a los juegos bélicos y Adriana con su inquietud y curiosidad. ¿Cómo?, en la cena les ha propuesto algo diferente. Quiere hacer un torneo en casa. Un torneo de dardos, pero con una diana y dardos construidos por ellos mismos, y de eso se encargará papá, con la colaboración de Albán y Adriana.

La idea ha sorprendido, pero ha tenido una gran acogida. Alberto y Adrián ya están pensando qué materiales usar y cómo hacerla, y Adriana y mamá se encargarán de la pintura y diseño.

HISTORIA:

Alberto y Albán fabricaron la diana con tablex de madera y fieltro, y los dardos los sustituyeron por pelotas de goma forradas con velero, para que Adriana no se haga daño o pueda hacérselo a los demás. En esta primera fase de construcción del juego, Adriana que es muy impaciente, está aprendiendo las virtudes de la constancia y la paciencia y el valor de las cosas bien hechas. Todos se están divirtiendo y colaborando para un objetivo común.

Una vez terminada, Aída y Alberto, orgullosos de la obra maestra familiar, proponen a sus hijos que inviten a sus amigos a casa para probar la diana, idea que ha encantado a Adriana.

RESULTADO:

La experiencia ha servido para compartir momentos de ocio en familia, aunar objetivos y crear la conciencia de «equipo» dentro de la familia. Albán y Adriana han aprendido la importancia del reparto de tareas. A Albán le ha gustado la experiencia y está dispuesto a colaborar más con su padre en su afición al bricolaje. Adriana quiere construir otra diana para regalársela a sus primos, a los que quiere mucho. Por su parte Alberto y Aída ya están pensando en cuál será el siguiente juego que fabricarán todos juntos.

Guía de trabajo

— Nº 88 A

JUGAR: LA FORMA MÁS
DIVERTIDA DE EDUCAR

Guía de trabajo

JUGAR: LA FORMA MÁS DIVERTIDA DE EDUCAR

Comprende los capítulos 1 y 2.

OBJETIVOS:
— *Jugar más en familia.*
— *Desarrollar capacidades por medio del juego.*
— *Convertir el juego en una herramienta eficaz para educar en valores humanos.*

TRABAJO INDIVIDUAL:

1º Una lectura rápida y otra lenta marcando lo importante.

2º Apuntar las dudas que surjan en la interpretación del texto.

3º Interésate por conocer a qué juegan tus hijos en el colegio, en la calle, con sus hermanos, amigos o en solitario y cuáles son sus gustos y preferencias.

4º Habla con tus hijos y, ayudándote de la guía de juegos por edades que figura al final del libro, y otros que conozcas, selecciona los que más se ajusten a vuestras preferencias y busca un hueco a lo largo del día para jugar en familia.

5º Para cada uno de tus hijos, elige una capacidad que quieras potenciar y selecciona un juego, de la lista que has confeccionado en el punto anterior, que te ayude a conseguirlo.

6° Utiliza el juego en un Plan de Acción para motivar a tus hijos en la consecución de un objetivo educativo que te hayas propuesto.

TRABAJO EN GRUPO:

1° Tratar de aclarar las dudas de interpretación que hayan surgido al leer el texto.

2° Cada asistente expondrá los juegos que haya elegido para el trabajo individual. Seleccionar los dos que se consideren más completos y apropiados.

3° Comentar los Planes de Acción realizados.

4° Seleccionar los dos mejores Planes de Acción aportados en esta sesión.

5° Recordar entre todos los asistentes: «La Educación Personalizada». Poner algunos ejemplos relacionados con el tema de los juegos y la edad de los hijos del grupo.

6° Comentar con detalle, algunas anécdotas ocurridas en el desarrollo del tiempo de juego compartido con vuestros hijos.

GUÍA DE TRABAJO
▬ Nº 88 B

**JUGAR: LA FORMA MÁS
DIVERTIDA DE EDUCAR**

Guía de trabajo

JUGAR: LA FORMA MÁS DIVERTIDA DE EDUCAR

Comprende los capítulos 3 y 4.

OBJETIVOS:

— *Sustituir la televisión como entretenimiento por el juego en familia.*

— *Fomentar los juegos creativos, variados, progresivos y seguros frente a otros tipos de juegos.*

— *Desarrollar la creatividad inventando juegos en familia.*

TRABAJO INDIVIDUAL:

1º Una lectura rápida y otra lenta marcando lo importante.

2º Apuntar las dudas que surjan en la interpretación del texto.

3º Seleccionar uno de los juegos recomendados en la «Tabla de juegos» del apartado «C», practicarlo y utilizarlo como herramienta para desarrollar alguna de las capacidades o virtudes contrarias a alguno de los puntos débiles de nuestros hijos.

4º Con los juegos escogidos en el punto anterior hacer un Plan de Acción y anotar los resultados.

5º Aprovecha alguno de los desplazamientos habituales en coche, para jugar a uno de los juegos sugeridos para estas situaciones en la tabla de juegos recomendados del apartado «C».

6º Recuperar del recuerdo, algunos de nuestros juegos favoritos de la niñez y enseñárselos a nuestros hijos.

7º Desarrollar la creatividad, de padres e hijos, inventando juegos en familia.

TRABAJO EN GRUPO:

1º Tratar de aclarar las dudas de interpretación que hayan surgido al leer el texto.

2º Reflexiona y comenta sobre los beneficios concretos obtenidos a través del juego en experiencias con nuestros hijos o por referencias de conocidos.

3º Comenta qué juegos, de los elegidos en los puntos 3 y 5 del trabajo individual, hemos practicado con nuestros hijos y cuál ha sido el resultado.

4º Contar alguno de nuestros juegos favoritos de la niñez que has enseñado a vuestros hijos.

5º Explicar los Planes de Acción realizados en el punto 4 del trabajo individual.

6º Seleccionar los dos mejores Planes de Acción aportados en esta sesión.

7º Explica tu experiencia sobre los juegos que has inventado con tu familia.

8º TRABAJO OPCIONAL: Elegir una edad, la más común entre vuestros hijos, y aportar, cada asistente, un juego apropiado para la edad elegida. Dar dos o tres rondas más y comentar los diferentes valores positivos que se pueden reforzar con cada uno de ellos.

Guía de trabajo

Nº 88 C

JUGAR: LA FORMA MÁS DIVERTIDA DE EDUCAR

Guía de trabajo

JUGAR: LA FORMA MÁS DIVERTIDA DE EDUCAR

Comprende los capítulos 5, 6 y 7.

OBJETIVOS:

— *Hacer del juego un recurso habitual de ocio para toda la familia.*

— *Aprender que los mejores juguetes no son siempre los más caros.*

— *Descubrir que a veces fabricar juguetes es la mejor de las diversiones.*

TRABAJO INDIVIDUAL:

1º Una lectura rápida y otra lenta marcando lo importante.

2º Apuntar las dudas que surjan en la interpretación del texto.

3º La creatividad, la constancia y la paciencia son cualidades que se pueden cultivar de una forma privilegiada mediante el juego. Escoge de la «Guía de Juegos» aquellos que más contribuyan a este objetivo en función de las edades de tus hijos. Ponlos en práctica y anota las experiencias positivas vividas con ocasión de ello.

4° Analiza qué juguetes y juegos de los que tienen tus hijos cumplen los diez requisitos que aparecen en el capítulo 5, para que puedan considerarse juguetes con valor educativo.

5° De entre los juegos y juguetes que tienen en casa tus hijos, y que cumplen las diez recomendaciones del apartado anterior, elige el más divertido y utilízalo como medio para motivar a tus hijos en un Plan de Acción.

6° Fabrica algún juguete con tus hijos y hazles ver lo divertido y barato que es fabricar juguetes.

TRABAJO EN GRUPO:

1° Tratar de aclarar las dudas de interpretación que hayan surgido al leer el texto.

2° Realizar una lectura reflexiva y comentada de las diez características que identifican a un juguete con valor educativo, y que figuran en el capítulo 5.

3° Aportar los Planes de Acción realizados en el trabajo individual.

4° Seleccionar los dos mejores Planes de Acción comentados en esta sesión.

5º En función de las edades de tus hijos, selecciona la cualidad más importante que consideres que conviene trabajar a través del juego y razona tu elección.

6º Explicar los juguetes que se han fabricado en familia.

7º Como resumen del libro que se acaba de trabajar, hacer entre todos los asistentes una relación de los juegos que se han llevado a cabo en la familia con motivo de este libro. Comentar los más originales

8º TRABAJO OPCIONAL: Si las edades de los hijos de los asistentes es similar, elegir entre todos un juego de grupo que consideréis divertido y buscar un momento y lugar para organizar una reunión; una excursión al campo puede ser una buena opción, en la que todos los niños, y si es posible también los padres, puedan divertirse y jugar juntos al juego elegido.

ÍNDICE

PARTE SEGUNDA "B"
PARA JUGAR HAY QUE APRENDER A JUGAR

PARTE TERCERA "C"
PRACTIQUEMOS EL JUEGO

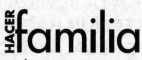

HACER familia

BOLETÍN DE SUSCRIPCIÓN

NOMBRE Y APELLIDOS: ....

DIRECCIÓN: ....

POBLACIÓN: ....

C.P.: ....PROVINCIA: ....

TEL.: ....E-MAIL: ....

N.I.F.: ....

Nº de Hijos: .... Año nacim. del mayor: ....

FORMA DE PAGO

❏ DOMICILIACIÓN BANCARIA

Nombre y apellidos del titular: ....

Banco: ....

Domicilio: ....C.P.: ....

Población: ....Provincia: ....

Les ruego que, con cargo a mi cuenta, atiendan los recibos que les presente EPALSA

Código Cuenta | | | | | | | | | | | | | | | | | | | |

Banco   Sucursal   D.C.   Nº Cuenta

❏ VISA / Master Card   Fecha de caducidad ..../........

Nº | | | | | | | | | | | | | | | | |

Firma del titular:

❏ Transferencia a nombre de EDICIONES PALABRA
c/c Nº ES82 0049 4693 9825 1002 4778 del Banco Santander

❏ Talón adjunto nº.................

PERSONA QUE ABONA LA SUSCRIPCIÓN (Solo en caso de que no coincida con el suscriptor)

Nombre y apellidos: ....

Dirección: ....

Población: ....

Provincia: ....C.P.: ....

Tel.: ....NIF: ....

	12 Números	24 Números
España y Portugal	33,40 €	63,85 €
Extranjero (Superficie)	44,85 €	86,70 €
Europa (Aéreo)	49,25 €	95,50 €
Resto del Mundo (Aéreo)	58,60 €	114,20 €

PRECIOS VÁLIDOS HASTA AGOSTO DEL 2004

Ediciones Palabra, S.A.
Pº de la Castellana, 210 - 28046 Madrid
Tel.: 91 350 83 11 - Fax: 91 359 02 30
suscripciones@edicionespalabra.es

DESEO RECIBIR GRATUITAMENTE
EL LIBRO DE LA COLECCIÓN HACER FAMILIA Nº.....

Recortar y enviar a EDICIONES PALABRA, S.A.- Castellana, 210 - 28046 Madrid - Tfno.: 91 350 83 11

HACER FAMILIA
educar en valores

Ayuda a los padres en la difícil tarea de educar
y contribuye a mejorar la vida familiar.

Serie A: CÓMO EDUCAR

1. EDUCAR HOY (15ª ed.)
   Fernando Corominas

2. HACER FAMILIA HOY (7ª ed.)
   Oliveros F. Otero y Fernando Corominas

4. EXIGIR PARA EDUCAR (10ª ed.)
   Eusebio Ferrer

5. LAS LECTURAS DE TUS HIJOS (3ª ed.)
   Cynthia Hertfelder

6. FAMILIAS CONTRACORRIENTE (6ª ed.)
   David Isaacs y Mª Luisa Abril Martorell

7. TU HIJO DIFERENTE (3ª ed.)
   Pilar Cabrerizo y Asunción Pacheco

9. LOS ESTUDIOS Y LA FAMILIA (5ª ed.)
   Gerardo Castillo Ceballos

11. DIOS Y LA FAMILIA (5ª ed.)
    Jesús Urteaga

12. PLANIFICACIÓN FAMILIAR NATURAL (3ª ed.)
    Tomás Melendo y Joaquín Fernández-Crehuet

13. CÓMO PREVENIR EL CONSUMO DE DROGAS (6ª ed.)
    Aquilino Polaino y Javier de las Heras

14. PARA EDUCAR MEJOR (5ª ed.)
    María Teresa Aldrete de Ramos

16. PREPARAR A LOS HIJOS PARA LA VIDA (5ª ed.)
    Gerardo Castillo

17. LOS ESTUDIOS Y EL DESARROLLO INTELECTUAL (4ª ed.)
    Carlos Ros

18. LOS NOVIOS. EL ARTE DE CONOCER AL OTRO (4ª ed.)
    Ramón Montalat

20. CÓMO EDUCAR A TUS HIJOS (7ª ed.)
Fernando Corominas

Serie B: EDUCAR POR EDADES

22. TUS HIJOS DE 1 A 3 AÑOS (7ª ed.)
Blanca Jordán de Urríes

23. TUS HIJOS DE 4 A 5 AÑOS (7ª ed.)
Manoli Manso y Blanca Jordán de Urríes

24. TU HIJA DE 6 A 7 AÑOS (4ª ed.)
María Teresa Galiana y Amparo González

25. TU HIJO DE 6 A 7 AÑOS (2ª ed.)
Blanca Jordán de Urríes

26. TU HIJA DE 8 A 9 AÑOS (5ª ed.)
Isabel Torres

27. TU HIJO DE 8 A 9 AÑOS (3ª ed.)
José Antonio Alcázar y Mª Ángeles Losantos

28. TU HIJA DE 10 A 11 AÑOS (5ª ed.)
Trinidad Carrascosa y Marta Bodes

29. TU HIJO DE 10 A 12 AÑOS (7ª ed.)
Alfonso Aguiló

30. TU HIJA DE 12 AÑOS (7ª ed.)
Candi del Cueto y Piedad García

31. TU HIJA DE 13 A 14 AÑOS (5ª ed.)
Piedad García y Candi del Cueto

32. TU HIJO DE 13 A 14 AÑOS (5ª ed.)
Vidal Sánchez Vargas

33. TU HIJA DE 15 A 16 AÑOS (5ª ed.)
Pilar Martín Lobo

34. TU HIJO DE 15 A 16 AÑOS (2ª ed.)
Santiago Herraiz

35. TUS HIJOS ADOLESCENTES (8ª ed.)
Gerardo Castillo

36. NOVIAZGO PARA UN TIEMPO NUEVO (3ª ed.)
Antonio Vázquez Vega

37. LOS NOVIOS. LOS MISTERIOS DE LA AFECTIVIDAD (5ª ed.)
Ramón Montalat

Serie C: EDUCACIÓN TEMPRANA

Serie D: EDUCAR EN VALORES

EDICIONES PALABRA, S.A. - Castellana, 210 - 28046 Madrid
Telfs.: 91 350 77 20 - 91 350 77 39 - Fax: 91 359 02 30
www.edicionespalabra.es - epalsa@edicionespalabra.es

Esta primera edición de
JUGAR: LA FORMA MÁS
DIVERTIDA DE EDUCAR
se acabó de imprimir
el día 14 de febrero de 2005,
en Anzos, S. L.
Fuenlabrada (Madrid)